D1516402

WITHDRAWN
BATH'S COLLEGE
LIBRARY STORAGE

The Tales of Belkin by A.S. Puškin

DUTCH STUDIES IN RUSSIAN LITERATURE | 1

The Tales of Belkin
by
A. S. Puškin

Essays by

JAN VAN DER ENG Amsterdam

A. G. F. VAN HOLK Groningen

JAN M. MEIJER Utrecht

1968

MOUTON · THE HAGUE

PARIS

250380

© Copyright 1968 in The Netherlands.
Mouton & Co. N.V., Publishers, The Hague.

No part of this book may be translated or reproduced in any form
by print, photoprint, microfilm, or any other means,
without written permission from the publishers.

Printed in The Netherlands by Mouton & Co., Printers, The Hague.

Preface

The present volume is the first of a series of annual publications devoted to the discussion of one single work or a group of connected works from Russian literature. The subject of these publications will vary from year to year.

The series will include regular contributions by André van Holk (University of Groningen), Jan Meijer (University of Utrecht), Karel van het Reve (University of Leiden), and Jan van der Eng (University of Amsterdam).

This group of authors is not representative of any single method of literary analysis, as will be clear from the studies on the *Tales of Belkin* that form the opening volume of the series. On the basis of this volume it may be inferred that our main emphasis is on the literary structures in their linguistic and/or aesthetic aspect. Thus, the first contribution deals with corresponding constructional devices in each of the five *Tales of Belkin*, the second essay contains a compositional and stylistic analysis of one of the Tales, the third contribution is devoted to a syntactic and semantic analysis of one Tale, the fourth essay treats the function of the preface and in connection with this the rôle of the editor, of Belkin and of the other narrators in the various Tales, whereas in the fifth contribution the function of 'new', 'realistic' elements in the cycle is examined and on the basis of this examination an outline is given of Puškin's realism.

As a result of the general aim of the series, emphasis will be laid on the linguistic, stylistic and compositional forms of literary structures. However, this will not be made into a principle and exclude other approaches in each forthcoming publication. The next volume will be devoted to *The Brothers Karamazov*.

Jan van der Eng

Table of contents

JAN VAN DER ENG

Les récits de Belkin
Analogie des procédés de construction

1

Les récits de Belkin sont comparables par plusieurs principes de construction. C'est avant tout le jeu avec les conventions qui nous fait rire, nous surprend, parfois nous émeut. La disposition du plan, ensuite, fait voir dans chacune de ces nouvelles trois situations parallèles qui par leurs points de contact, intensifient l'humour, la profondeur et la surprise de la narration. Enfin l'introduction de scènes dialoguées, plus ou moins vulgaires, ravive l'élément hilarant et donne parfois une nuance subtile aux thèmes des cinq nouvelles. Nous espérons mettre en lumière ces facteurs constructifs et en même temps leurs effets de complication anecdotique, de relief badin et d'approfondissement psychologique. L'analyse du jeu avec certaines conventions littéraires sera notre premier objectif, ensuite nous nous prendrons à l'étude du parallélisme et pour finir nous commenterons en deux mots les parties vulgaires.

La situation au début des récits est modelée sur un ou plusieurs sujets conventionnels. Le renversement de cette situation initiale fait naître d'autres schémas traditionnels qui à un moment donné prennent le contresens de leurs modèles. Ce jeu sert à caractériser les personnages. Tantôt c'est le narrateur qui suggère des points de contact entre leur vie et certains sujets littéraires. Tantôt ce sont les personnages eux-mêmes qui affectent un rôle littéraire, soit pour se dissimuler derrière cette pose, soit pour pousser leurs intérêts. Il en résulte dans tous les cas que leur portrait se compose de plusieurs schémas littéraires, souvent opposés l'un à l'autre. Ce qui achève la complexité psychologique de ce portrait, c'est que l'antinomie entre leur vie, modelée sur des conventions littéraires, et cette même vie, représentée sans objets d'imitation, se fait sentir à maint endroit.

Les récits de Belkin sont au fond anecdotiques, c'est-à-dire qu'ils constituent de singulières histoires d'amour, d'aventures, de revenants, avec tous les procédés qui conviennent: procédés causant la surprise, la méprise, et les péripéties inattendues. Les pivots de plusieurs de ces histoires sont connus depuis les anciens temps de la tradition anecdotique: travestissements, quiproquos, coïncidences, secrets. Ces vieux éléments et procédés narratifs deviennent plus compliqués chez Puškin à cause de conventions littéraires plus récentes. Le travestissement est fondé sur les habits et le comportement d'une héroïne sentimentale, le quiproquo devient complexe du fait qu'un personnage ne se méprend pas seulement sur l'identité d'un autre mais aussi sur sa pose littéraire, la coïncidence apporte le renversement d'un schéma conventionnel ou le rend plus sophistiqué qu'auparavant, les poses littéraires des personnages entourent comme d'un barrage de fumée quelque secret, de manière à en former le vestige intriguant. Les procédés narratifs qui mystifient et surprennent le lecteur, naissent du jeu avec le convention: le lecteur anticipe fallacieusement les développements à cause de suggestions fausses que lui donne l'application d'un schéma connu. Tout ce qui contredit le schéma provoque la surprise et donne lieu à des revirements inattendus. Les surprises finales des récits empruntent beaucoup de leur force au fait qu'elles vont au rebours des schémas employés.

Le relief badin est l'accompagnement naturel des poses littéraires, des moments où les poseurs sortent de leur rôle au point d'en prendre le contresens, des fausses allusions, des démasqués, de presque tous les procédés anecdotiques. Il y a en outre les moyens

de narration ironique: l'emploi de tournures qui expriment la
réserve du narrateur, l'usage amusant de mots-pastiches, le
mélange badin d'éléments de styles hétérogènes, etc.

Nous n'avons pas la prétention de nous lancer à la piste de tous
les éléments conventionnels dans les récits de Belkin. Nous n'en
avons pas besoin pour les objectifs de notre recherche. Il va de
soi que nous tenons compte des découvertes faites dans ce domaine
par V. Vinogradov: nous utiliserons l'article où il s'efforce de
différencier les narrateurs des récits divers.[1] L'exposé où il étudie
dans les nouvelles de Puškin l'empreinte de symboles et de sujets en
vogue au début du siècle passé nous servira également.[2] Il en est de
même des remarques intelligentes sur le millieu littéraire dont éma-
naient en quelque sorte les récits de Puškin, remarques qu'on trouve
dans l'article de V. Gippius.[3] Et il y a d'autres encore qui ont fait
des observations valables sur ce terrain. Nous nous efforcerons de
rendre justice à tous dans les notes.

Abordons maintenant le jeu avec les conventions dans le premier
récit en avertissant le lecteur qu'il faudra parfois amplifier ce qui
est dit avec trop de concision dans notre article sur ce récit, que
parfois aussi le renvoi à cet article devra suffire.

Dans *Le coup de pistolet* Puškin joue avec des procédés littéraires
qui sentent Byron, Davydov et Marlinskij. Le début de la nouvelle
montre beaucoup de détails dans le genre de Davydov: le bivouac
des hussards, le champagne qui coule à flots chez Sil'vio. Les
premiers renseignements sur le passé du héros orientent le lecteur
sur des exploits à la Davydov: "Autrefois il avait servi dans les
hussards et avec succès". Mais en même temps sa situation fait
penser plutôt à celle d'un héros byronien. Ce sont les signes de sa
supériorité qui incitent à cette comparaison: sa morosité taciturne,
son caractère rude, son passé mystérieux, la suggestion de son
audace impitoyable, de duels meurtriers. Plusieurs de ces traits
byroniens font penser également à un héros de Marlinskij: un

---

[1]   V. V. Vinogradov, *Stil' Puškina* (Moskva, 1941), pp. 536-582.
[2]   V. V. Vinogradov, "O stile Puškina", *Literaturnoe nasledstvo*, 16-18 (Moskva, 1934), pp. 125-214.
[3]   V. V. Gippius, *Ot Puškina do Bloka* (Moskva-Leningrad, 1966), pp. 7-45.

Hongrois, dont aussi la vie s'enveloppe d'un mystère, dont également la conscience est chargée de quelque crime et dont la morosité habituelle frappe l'imagination. Certaines tournures contradictoires qui servent à caractériser Sil'vio me semblent inspirées de la caractérisation de ce personnage dans la nouvelle *Une soirée aux bains du Caucase en 1824*. Qu'on compare les caractéristiques du Hongrois mystérieux avec celles de Sil'vio. Le Hongrois "vivait petitement et en même temps inondait d'or les pauvres. Il s'habillait simplement, mais les grands brillants de ses bagues valaient plusieurs dizaines de milles", etc. ...[4]

Sil'vio "vivait à la fois pauvrement et avec prodigalité", etc. Plus loin dans le récit de Puškin les suggestions d'un héros impitoyable et sans crainte deviennent subitement ambiguës en raison des comportements inattendus de Sil'vio. En même temps l'atmosphère mystérieuse sera plus dense à cause de la question irrésolue s'il a agi en lâche ou en homme magnanime, et à cause du vague pressentiment de raisons importantes qui s'expliqueront par la suite. Cette suite est faite d'un mélange qui sent tantôt Byron, tantôt Marlinskij, tantôt Davydov. A peine le lecteur est-il pourvu de certaines allusions que ses attentes sont déjà trompées. C'est ainsi qu'il se laisse mettre à la remorque de signes "byroniens-marlinskiens": "les yeux étincelants", "la pâleur ténébreuse", tout ce qui donne à Sil'vio "l'aspect d'un vrai diable". Mais immédiatement après, le héros lui-même gâte ce portrait par sa confession de choses peu héroïques: "... Si j'avais pu punir R*** sans risquer ma vie, je ne lui aurais pardonné pour rien au monde". Expliquant qu'il n'avait pas le droit de s'exposer à la mort parce que son ennemi était encore vivant, il fait dire à son interlocuteur: "— Les circonstances vous ont probablement séparés". Evidemment ce dernier suppose des développements qu'on trouve mutatis mutandis dans le récit de Marlinskij dont Puškin a tiré sa deuxième épigraphe. On sait que dans cette nouvelle un duelliste, grièvement blessé, n'est plus à même de tirer, et que, guéri, les circonstances l'empêchent de

---

[4] A. A. Bestužev-Marlinskij, *Sočinenija*, I (Moskva, 1958), p. 240. A cette comparaison nous a incité Vinogradov, qui nomme N. O. Lerner comme l'auteur d'un article sur les ressemblances entre sil'vio et le Hongrois du récit de Marlinskij. Nous n'avons pas pu consulter cet article. Cf.: *Stil' Puškina* (Moskva, 1941), p. 470.

réclamer ses droits. Mais la supposition d'une histoire comparable est réfutée par Sil'vio. Il le fait sans paroles, se coiffant d'un bonnet de police traversé d'une balle. Ensuite il parle de ses bravades de hussard. Il nomme Denis Davydov comme chanteur de tels exploits. On pourrait ajouter encore le nom de Marlinskij qui est l'auteur fanfaron de pareilles bravoures militaires. Mais rien n'est plus loin de cet héroïsme que la façon ironique dont le présente Sil'vio. Par son ton il prend le contresens du romantisme à la hussarde.

Plus loin — dans les récits de Sil'vio et du comte — de nouveau certains éléments du byronisme semblent s'accentuer: la vengeance, la haine, l'immoralisme. Nous nous référons à notre article sur *Le coup de pistolet* pour les vrais mobiles derrière ces attitudes. Disons à cet instant seulement que la caractérisation approfondie se développe sur la base de certaines formes thématiques qui ressemblent à certains schémas de Byron, mais plus souvent encore, vont au rebours de ces schémas. Si tout comme un héros byronien, Sil'vio est obsédé par le désir de se venger, il n'est pas supérieur dans ses exploits cruels et immoraux comme est supérieur l'homme sans mœurs et sans réligion à la Byron. Son projet de vengeance, tel qu'il l'explique à l'interlocuteur-narrateur, montre plutôt son infériorité vis-à-vis de son antagoniste: sa vengeance semble inspirée du ressentiment de ne pas posséder les avantages intellectuels et sociaux de son rival.

Il en est de même de l'attitude de Sil'vio envers le beau sexe. Le succès du comte auprès de la châtelaine polonaise ne fait pas de Sil'vio un amoureux désespéré: ce succès ne semble compter pour lui que comme un nouveau signe de la supériorité de son rival.

La dame en question ne l'interesse aucunement. Et c'est sans penser à elle si lors du duel il regarde son adversaire avec avidité, "guettant sur son visage la moindre ombre d'inquiétude". Qu'on compare avec Sil'vio le Giaour, vengeant le meurtre de sa Leila adorable. C'est son amour pour elle qui le pousse: "There's blood upon that dinted sword, A stain its steel can never lose: 'Twas shed for her, who died for me, It warm'd the heart of one abhorr'd".[5]

Quand le Giaour regarde le visage de sa victime mourante, c'est pour lire les remords du meurtrier de Leila ...

---

[5] Byron, *The poetical works of Lord Byron* (London, 1966), p. 261.

> I search'd, but vainly search'd, to find
> The workings of a wounded mind:
> Each feature of that sullen corse
> Betray'd his rage, but no remorse.
> Oh what had Vengeance given to trace
> Despair upon his dying face![6]

Pour les héros de Byron, la passion est le mobile fondamental dans
les situations de vengeance. Quant à Sil'vio, on est surpris de voir
l'absence complète de ce mobile dans des situations pareilles. Sil'vio
semble vouloir choquer l'interlocuteur par son dédain pour les
affaires d'amour. Allant au rebours des schémas romanesques à la
Byron, il a l'air de jouer avec les attentes et les préjugés sentimentaux de son interlocuteur. Ce goût des chocs apparaît nettement à
la fin du premier chapitre. Sil'vio suggère qu'il va employer comme
instrument de vengeance la femme du comte: sans avoir éprouvé la
moindre passion pour elle, sans l'avoir connue même, il paraît
compter sur les sentiments qu'elle inspire à son mari pour acculer ce
dernier au mur du désespoir et de l'angoisse. On trouve une situation comparable dans le poème *Parisina* de Byron. Le prince Azov
pourtant y agit sous la pression d'une passion outragée quand il
expose sa femme infidèle au spectacle cruel de l'exécution de son
amant. Et pour Azov il s'agit, bien entendu, de se venger sur sa
femme et ce n'est pas elle mais son amant qui sert d'instrument dans
cette affaire.

Tout le développement romanesque à l'inverse des sujets de Byron
est en même temps un mouvement allant au rebours des schémas à
la Marlinskij. Dans le récit intitulé *Un soir au bivouac* c'est le désir
de frapper son amant infidèle qui pousse le héros à user de son droit
de tirer. La citation de ce récit en tête de la nouvelle de Puškin a un
complément significatif qui est tout à fait contraire à l'esprit de
l'aventure de Sil'vio: "— Je m'etais juré de l'abattre, selon les lois
du duel qui me donnaient encore droit de tirer, *pour que cette femme
ne se réjouît pas de son triomphe*" (souligné par nous).[7] Amour et
haîne par rapport à une même femme sont aussi essentiels pour le
personnage de Marlinskij qu'ils sont étrangers à celui de Puškin.

⁶   *Ibid.*, p. 262.
⁷   A. A. Bestužev-Marlinskij, *op. cit.*, p. 52.

La fin du récit de Marlinskij apporte la victoire de l'amour. Si le hasard a empêché le héros d'abattre son ennemi, ce même hazard le met en contact avec son amour infidèle. La retrouvant, abandonnée par son mari, atteinte d'une maladie inguérissable, le héros s'enflamme de nouveau. Elle meurt dans ses bras. On pourrait dire que la dernière scène du récit de Puškin raille en quelque sorte le finale romanesque des nouvelles d'amour et d'aventures: qu'on se rappelle Sil'vio adressant des paroles amères à la comtesse, cette dame se jetant à ses pieds et s'évanouissant ensuite. Cette scène appelle a fortiori la comparaison avec un autre récit de Marlinskij. Il s'intitule *L'épreuve* et aboutit également à un duel dont la héroïne cause l'interruption. Elle intervient soudainement et déclare à l'un des combattants être prête à sacrifier sa vie pour intercepter la balle. Il est impensable alors que le duel ait son cours fatal. La fin montre la noble fraternisation et l'exaltation devant cette femme si pure. Serait-ce hasarder trop que de dire que les motifs de la scène finale du récit de Puškin semblent bien arrangés pour s'opposer aux apothéoses romanesques à la Marlinskij?

Dans *Le coup de pistolet* le narrateur paraît employer certains sujets conventionnels ou plutôt aller au rebours de ceux-ci. Ces conventions lui servent à mettre au visage du héros plusieurs masques pour les faire tomber ensuite. Les étiquettes ne conviennent pas: ni celle de hussard téméraire, ni celle de héros romanesque à la Byron, ni celle de personnage romanesque d'après le modèle plus sentimental de Marlinskij, ni celle d'un cocktail de thèmes étiquetés. Puškin en use pour composer le portrait d'un homme un peu moqueur, épris d'effets littéraires et cachant ses qualités humaines derrière des masques imités de la littérature comme s'il s'agissait de défauts, mais en même temps ne pouvant nier sa "vraie" nature morale. Nours nous référons à notre article sur *Le coup de pistolet* pour l'analyse plus détailée du caractère de Sil'vio. Nous y renvoyons également pour l'étude de la mise au point de maints aspects badins de cette construction de fausses apparences, pour l'ironie de l'auteur implicite. Nous espérons avoir accusé ici le relief un peu hilarant de la polémique cachée avec Byron et surtout avec Marlinskij, qui confère un coloris léger aux poses terribles de Sil'vio. En ce qui concerne les aspects anecdotiques, nous nous bornons à signaler que les suggestions fallacieuses de schémas à la Byron et à la Marlinskij donnent lieu à un enchaînement de méprises, de fausess attentes et prévisions, de revirements subits. Pour les détails nous vous renvoyons une fois de plus à notre article sur cette première nouvelle du recueil de Belkin.

Dans *La tempête de neige* Puškin combine plusieurs schémas de la nouvelle sentimentale pour compliquer le thème de son récit.[8] Partant d'une situation romanesque déterminée, il joue avec six dénouements possibles qui chacun constituent un type conventionnel de finale sentimental. D'une veine ironique, le narrateur raconte la situation sentimentale du départ: une jeune fille noble de dix-sept ans vivant à la compagne et un pauvre enseigne passant son congé en province s'aiment passionnément. Les parents cruels s'opposent à leur amour. Les rendez-vous ont lieu dès lors dans un petit bois de pins ou près d'une veille chapelle. Là il se jurent un amour éternel, se lamentent contre le sort, et forment maints projets. Telle est la situation bien connue d'un tas de nouvelles sentimentales. Passons au premier finale conventionnel dont se joue Puškin. C'est le finale qu'on trouve mutatis mutandis dans la nouvelle *Natal'ja, fille de boïard*, de Karamzin. Il figure aussi au début d'une nouvelle de Marlinskij, intitulée *Roman et Ol'ga*.[9]

Il s'agit du projet de fuir, de conclure un mariage secret et de retourner plus tard pour se jeter aux pieds des parents émus. Dans les nouvelles de Karamzin et de Marlinskij ces propositions sont faites par l'amant pendant un rendez-vous secret, dans la nouvelle de Puškin elles forment le sujet infini des lettres du héros à sa bien-aimée. Nombre d'éléments thématiques de la même portée se rencontrent dans les trois nouvelles: la servante dans le complot, l'adieu pénible adressé a la maison paternelle, le sentiment de péché chez la jeune fille, sa sortie de la maison. Dans les nouvelles de Puškin et de Karamzin on notera en plus: les lettres d'adieu aux parents, dans

---

[8]   Gippius avance en outre comme un important élément du jeu la parodie de sujets d'aventures avec leur enchaînement d'événements fortuits, V. V. Gippius, *op. cit.*, pp. 35-36. Wacław Lednicki considère *La tempête de neige* comme un chaînon dans la longue tradition des romans d'aventures, *Bits of table talk on Pushkin, Mickiewicz, Goethe, Turgenev and Sienkewicz* (The Hague, 1956), ch II: "The snowstorm", pp. 33-59.

[9]   Cf. V. V. Vinogradov, *Stil' Puškina* (Moskva, 1941), p. 554.

lesquelles les demoiselles allèguent, pour excuser leur faute, la force irrésistible de la passion; le pope; l'église mal éclairée; la bénédiction nuptiale. Au moment où le jeune homme va embrasser sa femme, suit, dans le récit de Puškin, le démasqué du quiproquo, c'est-à-dire la reconnaissance de l'inconnu qui, dans l'église ténébreuse, a posé comme fiancé. Le finale, indiqué par anticipation, est alors encombré et les événements prennent un tour inattendu.

Deux autres types de dénouement dans le genre sentimental figurent dans les rêves effrayants de Mar'ja Gavrilovna. D'abord il y a la scène du père cruel qui châtie sa fille désobéissante et "la précipitait dans un gouffre sombre et sans fond". C'est une fin qui ressemble aux dénouements où le père défend à sa fille toutes les relations avec son pauvre amant, veut la forcer à conclure une mariage plus avantageux et où, à bout de patience, quand elle persiste dans sa rebellion, il la fait emprisonner dans une couvent.[10] Ensuite il y a la scène de Vladimir étendu sur l'herbe, pâle et ensanglanté. On sait qu'un finale traditionnel de la nouvelle sentimentale est le suicide du malheureux prétendant.[11] La jeune fille suit parfois son exemple: pleurant sur son corps, elle se poignarde.[12] Parfois aussi elle meurt quelques jours après d'une maladie fiévreuse.[13] Puškin se joue aussi de ce dernier élément: après la nuit terrible, Vladimir disparu, Maša contracte une fièvre chaude et durant deux semaines, est au bord de la tombe.

Une fin conventionnelle de la nouvelle sentimentale est le départ pour la guerre du prétendant mis à la porte par les parents cruels. D'ordinaire il périt pendant la campagne alors que sa bien-aimée

---

[10] Brang donne le résumé d'un nombre de nouvelles avec cette fin: P. I. Šalikov, "Temnaja rošča ili pamjatnik nežnosti"; "Neščastnaja Margarita. Istinnaja russkaja povest'" (d'un anonyme); Ivan Svečinskij, "Ukrainskaja sirota. Istinnaja povest'"; S. Radilin, "Ljubim i Šarlotta", etc., Peter Brang, *Studien zu Theorie und Praxis der russischen Erzählung, 1770-1811* (Wiesbaden, 1960), pp. 230, 234, 237, 244.

[11] "Neščastnyj L." (d'un anonyme); A. I. Klušin, "Neščastnyj M-v"; V. V. Popugaev, "Aptekarskij ostrov ili bedstvie ljubvi"; N. Brusilov, "Istorija bednoj Mar'i", cf. les résumés de Brang, *op. cit.*, pp. 213, 220, 226, 236.

[12] G. P. Kamenev, "Sof'ja"; G. P. Kamenev, "Inna"; P. J. L'vov, "Aleksandr i Julija. Istinnaja russkaja povest'", cf. les résumés de Brang, *op. cit.*, pp. 211, 212, 231.

[13] P. J. L'vov, "Bednaja Daša", cf. le résumé de Brang, *op. cit.*, pp. 213-214.

tombe malade et meurt peu après.[14] On en trouve des traces dans le récit de Puškin: Vladimir, parti pour l'armée en 1812, est grièvement blessé à Borodino, comme l'apprend Maša. "Elle s'évanouit et l'on craignit une nouvelle attaque de fièvre chaude."

Enfin Puškin joue avec un dénouement sentimental assez répandu: la héroïne pleurant jusqu'à ses derniers jours son pauvre amant, rebuté par le père cruel et frappé à mort ensuite.[15] Puškin raconte que Vladimir est tombé à Moscou et que son souvenir "semblait sacré" pour Maša. "Du moins avait-elle conservé tout ce qui pouvait le lui rappeler: des livres qu'il avait lus autrefois, ses dessins, la musique et les vers qu'il avait copiés pour elle". L'attitude narrative dans le récit de Puškin est naturellement tout autre que celle des auteurs de l'école sentimentale. Le narrateur de Puškin fait percevoir à maint endroit sa réserve à l'égard des faits qui portent la marque du sentimentalisme. Je viens de citer des mots comme "semblait", et "du moins" qui expriment son doute ironique. À d'autres moments, et notamment au début de *La tempête de neige*, le narrateur passe en quelques mots par-dessus la situation sentimentale du départ, situation qui chez les représentants du sentimentalisme baignerait dans une atmosphère très émotionnelle, très lyrique, et exigerait des passages élaborés sur les premiers baisers, les pleurs et les soupirs du couple malheureux. Le narrateur de Puškin suggère qu'il s'agit d'une mode d'origine littéraire: "Mar'ja Gavrilovna était nourrie de romans français, et par conséquent amoureuse". Il donne presque le caractère d'un leurre à cette mode par sa narration rapide et nonchalante et par des tournures comme "il va sans dire", "ce qui est bien naturel", "par conséquent", "comme de juste". L'attitude ironique du narrateur se traduit aussi par l'emploi répété de mots qui sont comme la clef d'une situation connue de la littérature sentimentale.

Ce sont les mots: "parents cruels" et la tournure "se jeter aux pieds" (des parents émus). Dans la nouvelle *Natal'ja, fille de boïard*, cette tournure est employée plusieurs fois à peu de distance. Répon-

---

[14] Karra-Kakuello-Gudži, "Bednaja Chloja"; D. P. Gorčakov, "Plamir i Raida. Rossijskaja povest'"; P. S., "Neščastnye ljubovniki. Ruskoe sočinenie", cf. les résumés de Brang, *op. cit.*, pp. 214, 224, 237.
[15] A. I. Klušin, "Neščastnyj M-v", cf. Brang, *op. cit.*, p. 220.

dant au jeune homme qui lui propose de s'enfuir, Natal'ja dit:
"— Pourquoi pas se jeter à ses pieds" (ceux de son père). Aleksej
réplique: "— nous nous jetterons à ses pieds dans quelque temps".[16]
Natal'ja, enfin, rappelle ces paroles avant de quitter son père aimé.
Dans la nouvelle de Puškin, Vladimir écrit "dans chacune de ses
ettres" qu'après quelque temps de vie cachée, "ils reviendraient se
eter aux pieds des parents [...], qui diraient sûrement aux amants
infortunés: — enfants, venez dans nos bras!" Mar'ja Gavrilovna
écrit dans sa lettre d'adieu "qu'elle considérait comme l'instant le
plus heureux de sa vie, celui où il lui serait permis de se jeter aux
pieds de ses parents adorés", apres quoi "elle se jeta sur son lit".

Les derniers mots nous mettent sur la voie d'un procédé nouveau
servant à nuancer d'ironie les données conventionnelles du sentimentalisme. C'est le procédé de juxtaposer et ces données et des
faits plus terre à terre qui ne sentent point les conventions littéraires.
Le narrateur le fait parfois assez subtilement: il se rallie au sens
pratique des hommes communs pour saper la pose littéraire qu'il
vient d'évoquer, tout en désignant une fois de plus cette pose par une
figure recherchée qui ne peut pas venir à l'esprit des campagnards.
Il en est ainsi quand le passage sur Maša, toute devouée à la
mémoire de son amant, est suivi de l'observation suivante: "Les
voisins au courant de tout, s'étonnaient de sa constance et atten-
daient avec curiosité la venue du héros devant qui céderait enfin la
triste fidélité de cette virginale Artémise."[17] Un moyen de railler
l'attitude de fidélité sentimentale est aussi l'apposition d'un fragment dans le style de Marlinskij.[18] Aussitôt après le passage sur le
dévouement de Maša et la réserve des voisins, vient une digression
sur la guerre glorieusement terminée, sur le retour enthousiaste des
régiments et sur la fierté nationale. Ce passage abondant en exclamations aboutit à un éloge non moins élevé des femmes russes.
Avec un mot forgé dans le salon des dames (bespodobny/incom-

---

[16] N. M. Karamzin, *Izbrannye proizvedenija* (Moskva, 1966), p. 72.
[17] Vinogradov la met en comparaison avec une phrase dans *Pis'ma russkogo putešestvennika*: "Opišu vam edinstvenno pamjatnik supružeskoj ljubvi, sooružennyj tam novoju Artemizoju", *Stil' Puškina* (Moskva, 1941), p. 554.
[18] Vinogradov allègue un fragment de l'esquisse "Voennyj antikvarij" pour démontrer le passage à la Marlinskij dans le récit de Puškin, *Stil' Puškina* (Moskva, 1941), p. 552.

parables) le narrateur déclare avec transport: "Les femmes, les
femmes russes étaient alors incomparables! Leur froideur habituelle
cédait [...] Est-il un officier qui ne reconnaîtrait avoir reçu de la
femme russe sa meilleure et sa plus précieuse récompense? ..."

La constance et la froideur de Maša paraissent un peu moins
sûres après ce passage. Leur caractère ambigu est suggéré à fortiori
quand le narrateur ajoute sur un ton moins emphatique mais plus
insinuant encore: "dans les villages, l'enthousiasme général était
plus grand encore. L'apparition d'un officier y était l'occasion d'un
véritable triomphe [...]" Aussi n'est-il pas étonnant de lire immédiatement après, que Maša est entourée de prétendants et qu'elle
distingue tout particulièrement le colonel des hussards, Burmin.
Ce que les voisins prévoient avec leur simple bon sens, paraît être
là. Mais le narrateur ironique termine cette partie par une citation
qui suggère que les choses sont simples comme bonjour et peut-être
pas si simples: "Ce n'était pas qu'elle fît la coquette, mais le poète
devant son attitude, eût pu dire: Se amor non è, che dunque? ..."

Avec l'apparition du second amant, le narrateur raille à fond les
éléments du sentimentalisme, ne cachant ni l'origine littéraire, ni la
tactique raffinée dont ils font partie. Il explicite les stratagèmes dont
se sert la jeune dame pour prendre Burmin dans ses filets. Il fait
remarquer qu'elle prend l'offensive pour provoquer la minute de la
déclaration romanesque. Un élément de son art de séduction est
formée par sa pose "près de l'étang, sous un saule, un livre à la main,
vêtue d'une robe blanche, en véritable héroïne de roman". Le
démasqué des attitudes sentimentales comme des démarches de
séduction confère une nuance marquante à la psychologie des
personnages. Et cela est d'autant plus vrai qu'ils voient clair dans la
pose sentimentale de leur partenaire: les paroles d'amour que
Burmin adresse à Mar'ja Gavrilovna lui font penser à la première
lettre de Saint-Preux. Mais ce qui complique surtout leur portrait
psychologique, c'est qu'ils rêvent tous les deux d'avoir l'autre à ses
pieds avant de lui dire qu'un mariage secret avec un inconnu
s'oppose à leur bonheur. Ce n'est peut-être pas sans une nuance
d'égotisme cruel, que Maša (comme lui d'ailleurs) prépare un
dénouement fatidique, en encourageant son partenaire. Chacun
d'eux veut être aimé malgré le secret qui exclut leur alliance.[19]

"— Bonne, chère Mar'ja Gavrilovna! Ne m'enlevez pas ma suprême consolation: la pensée que vous auriez consenti à faire mon bonheur, si ..." C'est ainsi que toute une tactique de séduction aux mobiles assez complexes s'effectue en grande partie à l'aide de propos et de comportements qui font penser aux situations des nouvelles sentimentales. Le démasqué ironique de cet emploi de conventions sentimentales dévoile en même temps les complications psychologiques. Il en résulte que les personnages, affectant la simplicité naïve, s'en éloignent au plus haut point. On en trouve le plus bel exemple quand Burmin emploie des paroles non moins emphatiques que les pères cruels ou les amants infidèles qui reconnaissent être la cause de la mort tragique de quelque héroïne d'un récit sentimental: "— Incompréhensible, impardonnable légèreté ..." s'écrie-t-il en commentant sa caprice de se faire marier à une inconnue qu'il n'a jamais revue. En se mettant sur le visage un masque tragique, comme s'il allait déplorer sa faute et pleurer le sort de la fille innocente dont il a abusé, il espère en réalité faire une conquête, il espère agir sur le cœur sensible de Maša en poussant le cri passionné dont retentissent les nouvelles de l'école sentimentale.[20]

Démasqué ironique des poses sentimentales et parallèlement dévoilement des dessous psychologiques, ne sont pas les seuls effets du jeu avec les conventions littéraires dans la partie finale de la nouvelle. Le narrateur se sert aussi de ces conventions pour rendre plus surprenant et plus amusant l'élément anecdotique du quiproquo compliqué. Et si je parle de quiproquo compliqué, c'est que le lecteur ne sait pas que Maša et Burmin sont mariés tous les deux avec un inconnu. Et Maša et Burmin eux-mêmes ne savent pas que l'autre est marié avec un inconnu et que chacun d'eux est un de ces inconnus, situation en effet qui favorise les malentendus. Un de ces

[19] Cette situation dramatique donne lieu à un dialogue vif avec des répliques pleines d'arrière-pensées, de méprises et de réticences, cf. V. V. Odincov, "Dialog u Puškina", *Izvestija Akademii nauk SSSR, Serija literatury i jazyka*, XXV, 5 (Moskva, 1966), pp. 414-417.
[20] Cf. par exemple l'exclamation du héros d'une nouvelle de A. Popov, intitulée "Lilija. Rossijskoe sočinenie": "«O rasputstvo! skol'ko takovych devic i vdov, kotorye povsečasno oplakivajut uspechi moich obol'ščenij!»," citée par Brang, *op. cit.*, p. 242.

malentendus surgit quand Maša fait savoir qu'une barrière infranchissable existe entre eux. Burmin se méprend sur cette remarque et l'interprète comme l'indication de sa pose, basée sur une convention sentimentale: la fidélité jouée qu'elle croit devoir à son amant mort. "— Je sais que vous avez aimé jadis; mais la mort et trois années de lamentations ..." La qualité anecdotique du secret est rendue plus suggestive par l'aménagement de plusieurs éléments conformes aux traditions sentimentales ou y contraires. Ces éléments entourent le secret comme d'un rideau et ainsi ils le marquent. Le lecteur suppose des rapports obscurs entre ce noyau caché du récit et les attitudes de Vladimir et de Maša. La pose de dévouement absolu à la mémoire de Vladimir et le culte de tout ce qui lui reste de son amour, est un des moyens de rappeler au lecteur le secret de la nuit tempétueuse. Il y a encore une autre expérience sentimentale qui fait revenir à la mémoire cet élément central: ce sont les allusions néfastes qui se rattachent à la fièvre chaude qu'elle a contractée après son aventure nocturne. Ce sont surtout certains développements allant au rebours des faits sentimentaux qui indiquent le secret central. On comprend encore que les parents de Maša, contrairement à ce qu'on attend de la part d'un couple cruel de parents dans les nouvelles sentimentales, fassent savoir à Vladimir leur consentement au mariage. Mais on a plus de peine à comprendre ce qui pousse Vladimir à annoncer qu'il fera ce que normalement exige le père cruel: qu'il ne remettra jamais les pieds dans leur maison. Le lecteur ne manquera pas de lier cette incompréhensible réaction aux événements mystérieux de la nuit tempétueuse.

Pendant les événements de cette nuit, Vladimir ne quitte pas la scène jusq'au moment où il arrive devant l'église fermée où devrait avoir lieu la bénédiction nuptiale. Alors le narrateur interrompt son récit par l'exclamation: "Qu'allait-il apprendre!" Ensuite le narrateur aborde une tout autre partie du récit. Ce passage subit est un bon exemple des transitions rapides comme on en compte pas mal dans les nouvelles anecdotiques. Mais ce qui renforce encore la réussite de ce revirement, c'est qu'il paraît contraster avec un revirement pareil dans la nouvelle *Natal'ja, fille de boïard*. Qu'on se rappelle par quelles paroles Karamzin nous fait passer au boïard Matvej après la narration des événements nocturnes: "voyons ce qui se fait dans la ville du tsar".[21] Ensuite le lecteur apprend les détails de la consternation et du désespoir du vieux père, de toutes ses tentatives de retrouver Natal'ja. Comparez chez Puškin: "Retournons chez nos bons propriétaires de Nenaradovo et voyons ce qui c'était passé chez eux.

Mais rien.

Les vieux parents se levèrent et entrèrent au salon comme à l'ordinaire, Gavrila Gavrilovič en bonnet de nuit et veston de flanelle, Praskov'ja Petrovna en robe de chambre ouatée," etc.

La pointe anecdotique acquiert encore une nuance spéciale de moquerie et de surprise par son sens contraire au dénouements tristes du genre sentimental et en particulier par ses allusions ironiques au dénouement moins triste qui ne manquent pas au début de *La tempête de neige*: le retour au parents adorés pendant qu'on se jette à leurs pieds. Contre toute convention sentimentale, Burmin se jette aux pieds de Maša: "Burmin pâlit ... et se jeta à ses pieds ..."

Dans *La demoiselle — paysanne* Puškin met en jeu deux schémas sentimentaux. Ensuite il mêle aux données sentimentales un vieux motif très répandu dans les comédies du dix-huitième siècle: le travestissement.[22] Enfin le narrateur utilise des éléments de Byron, de Shakespeare, de Walter Scott et de Fonvisin pour répondre à ses aspirations badines et à ses objectifs de complication psychologique et anecdotique.

Le narrateur dit lui-même que la situation initiale de son récit fait penser aux sujets de Shakespeare et de Walter Scott: deux familles seigneuriales ne s'entendent pas, les pères évitent tout contact et nourrissent leur dégoût réciproque. La fille d'un des seigneurs s'interesse toutefois vivement au fils du voisin ou plutôt à ses allures sombres dans le goût de Byron, à ses propos sur des joies perdues et la jeunesse flétrie, à son indifférence pour le charme des demoiselles de province. Mais ce qui complique l'intérêt de la

[21] N. M. Karamzin, *op. cit.*, p. 83.
[22] Gippius met le récit de Puškin en parallèle avec la comédie de Marivaux: "Le jeu de l'amour et du hasard", V. V. Gippius, *op. cit.*, pp. 26-27. Sur le thème de la demoiselle-paysanne dans quelques nouvelles cf. V. V. Vinogradov, "O stile Puškina", *op. cit.*, pp. 176-179.

jeune dame, c'est qu'il devient vigoureux quand le jeune voisin se révèle comme galantin aussitôt qu'une jolie paysanne entre dans son champ visuel. Quand elle apprend qu'il court après les servantes, l'idée lui vient à l'esprit de se travestir en paysanne et de jouer délibérément un rôle sentimental pour provoquer des plaisirs romanesques. Dès le commencement, le narrateur apporte donc les nuances psychologiques voulues en faisant du jeune voisin un ambigu de coureur et de désillusionné et en représentant la voisine charmante comme une friponne. Dès le début il donne ainsi le démasqué ironique des événements sentimentaux qu'il présente comme une tactique piquante. Ce démasqué lui permet beaucoup de badineries subtiles. Il peut imiter presque impeccablement le ton et le thème du sentimentalisme. À mesure qu'il y réussit mieux, le lecteur, demeurant conscient des friponneries, s'amuse d'avantage. Le narrateur peut nous faire rire aussi quand tout à coup, en pleine affectation sentimentale, il va au rebours des transports narratifs qu'on attendrait à ce moment et qu'à leur place il nous fournit sèchement des suggestions ironiques concernant les secrets de cœur de la héroïne. D'autres effets de badinerie se font jour au moment où l'imitation du style sentimental l'amène à employer des mots-pastiches, où il commence à jouer avec eux pour accuser plus hardiment leur dessous fripon. Divertissantes aussi sont les parties où la héroïne, sans le savoir, agit au rebours des conventions sentimentales.

Le narrateur sait bien réaliser la ressemblance de ton et de thème voulue, racontant comment son personnage féminin se lève dès le point du jour, se vêt d'une chemisette et d'un *sarafane* (jupe de paysanne) et s'approche d'un petit bois. Il ne manque rien de tout ce qui fait le charme de la scène sentimentale: l'aurore brillant à l'orient, le ciel pur, la fraîcheur matinale, la rosée, la brise et les chants d'oiseau. Le narrateur fait en sorte que cela remplisse le cœur de Lise d'une félicité enfantine, tout come chez ses ancêtres sentimentaux. Et toujours suivant de près son modèle, il la pousse dans une douce rêverie après qu'il a fait disparaître sa gaieté. Si toute cette partie est dans le goût sentimental et fait penser aux scènes matinales de délices rustiques et de vagues rêveries d'amour de plusieurs nouvelles de Karamzin, ensuite il s'y glisse des notes évidemment ironiques. Il en est ainsi quand le narrateur — au lieu d'exprimer son transport lyrique causé par la merveille du premier désir d'amour chez une jeune fille[23] — rassemble prosaïquement les attributs de cette merveille dans une figure interrogative, pleine d'insinuations moqueuses: "Elle songeait ... mais peut on savoir exactement à quoi songe une jeune fille de dix-sept ans, seule dans un bois, au seuil d'une matinée de printemps? ..." Apres ces mots ironiques apparaissent comme des pastiches de procédés de narration et de compostion à la Karamzin. En introduisant le héros dans la scène matinale le narrateur rappelle son nom (Aleksej) et ajoute entre parenthèses. "Le lecteur l'a déjà reconnu". Karamzin fait la même chose dans la scène de l'enlèvement de Natal'ja, fille de boïard: "Aleksej (le lecteur n'a pas oublié le nom du jeune homme)" etc.[24] Des pastiches de ce genre transparaissent aussi dans la conversation des partenaires de la nouvelle de Puškin. Mais ils ne servent plus alors à faire réussir la tactique de séduction, mais à empêcher le jeune homme enflammé de chercher des contacts qui entraînent avec eux le démasqué de travestissement. Elle veut prévenir qu'il fasse la même chose qu'Eraste dans la nouvelle *La pauvre Liza* de Karamzin: rendre visite à la maison paternelle, entrer en conversation avec ses parents (on se rappelle que la héroïne du récit de Puškin feint d'être Akulina, la fille du forgeron Vasilij). Complication surprenante et amusante de la situation anecdotique, qui force Liza à faire le contraire de son modèle littéraire tout en l'imitant. Elle demande à Aleksej de ne jamais interroger personne sur elle et de ne chercher d'autres rendez-vous que ceux qu'elle lui accordera d'elle-même. Quand Aleksej veut jurer sur le Vendredi-Saint elle l'arrête en disant: "— je n'ai pas besoin d'un serment; ta promesse me suffit". Et ce sont là les paroles mêmes que la pauvre Lise (dans la nouvelle de Karamzin) adresse à Erast lors de leur premier tête-à-tête. Elle demande s'il peut lui jurer sa fidélité. Mais ensuite elle

---

[23]   Cf. le lyrisme à un endroit pareil dans "Natal'ja, bojarskaja doč'": "čto ž sdelalos' s neju? Skromnaja Muza, povedaj! ... — ... S nebesnogo lazorevogo svoda, a možet byt', otkuda-nibud' i povyše, sletela, kak malen'kaja ptička kolibri, porchala, porchala po čistomu vesennomu vozduchu i vletela v Natal'ino nežnoe serdce — *potrebnost' ljubit', ljubit', ljubit' !!!*", N. M. Karamzin, *op. cit.*, p. 63.

[24]   *Ibid.*, p. 75.

exprime sa confiance en lui sans exiger de serment: "— Non, je
n'ai pas besoin de ton serment".[25]
  Un autre moyen de prendre le contresens d'un modèle sentimental
est également fort badin et intensifie l'élément anecdotique de la
surprise. Il s'agit du procédé de faire dire à Akulina-Liza des choses
qui sont toutes naturelles dans la bouche d'une paysanne réelle sans
l'être sur les lèvres de la héroïne campagnarde d'une nouvelle
sentimentale. Bref, il s'agit de son usage du patois. Croyant bien
imiter son modèle, elle enfreint un principe fondamental de l'esthétique sentimentale, à savoir la défense de se servir de la langue
vulgaire et par conséquent l'obligation de transporter le langage du
salon dans le milieu populaire idéalisé. Le deuxième schéma sentimental apparaît dès le moment où Aleksej donne dans le piège de
la jeune femme. Dans ce cas aussi, souvent il vaudrait mieux parler
d'un schéma à rebours. Nous faisons allusion à la situation si
caractéristique du type de la nouvelle sentimentale où il s'agit des
tendres relations entre une jeune fille de sang noble et son instituteur
pauvre. On se rend compte du fait que dans le récit de Puškin Aleksej appartient à la noblesse tandis que son élève est de basse extrac-
tion. Ce retournement de rôles ne peut que remémorer au lecteur
qu'en réalité, l'enfant du peuple est une demoiselle travestie en
paysanne. Il en demeure conscient à cause des rapides progrès de la
jeune dame et d'autant plus quand il considère son talent extraordinaire de transformer les leçons en tendres tête-à-tête avec son
instituteur. En ce sens il est bien significatif que dès la troisième
leçon, la pupille épèle *Natal'ja, fille de boïard*, qu'elle interrompt sa
lecture par des réflexions qui ne cessent de plonger son professeur
dans le ravissement et que, de plus, elle a couvert une feuille de
papier d'aphorismes tirés de ce conte. Qu'on se rappelle que les
"aphorismes" du conte de Karamzin se groupent presque tous autour
du thème de l'amour.[26] Aleksej est si éperdument amoureux qu'il
s'enfonce dans une situation qui lui impose de plus en plus comme

---

[25] *Ibid.*, p. 44.
[26] Cf. *Ibid.*, p. 64: "Tak krasavicy! vaša žizn' s nekotorych let ne možet byt'
sčastliva, esli tečet ona, kak uedinennaja reka v pustyne, a bez milogo pastuška
celyj svet dlja vas pustynja", etc. *Ibid.*, p. 66: "Čitatel' dolžen znat', čto mysli
krasnych devušek byvajut očen' bystry, kogda v serdce u nich načinaet voro-
šit'sja to, čego oni dolgo ne nazyvajut imenem", etc.

un rôle renversé de héros sentimental. Il se résout à offrir sa main à la paysanne et à résister aux exigences de son père, voire à accepter la mendicité à laquelle celui-ci menace de le réduire. "La romanesque idée d'épouser une paysanne et de devoir travailler pour vivre, lui vint à l'esprit, et plus il y pensait, plus cela lui paraissait raisonnable". C'est une perspective qui paraîtrait peu raisonnable au héros traditionnel de la nouvelle sentimentale: il préférerait, le moment venu, abandonner son innocente paysanne outragée, la poussant dans le désespoir, la précipitant au suicide. Telle la pauvre Liza, qui, trahie par Erast, attente à ses jours.

L'aventure centrale opère le renversement de la situation initiale et aboutit à un drame shakespearien dans le sens contraire. Le père d'Aleksej cherche à vider à l'amiable les différends avec son voisin et à marier son fils à la fille de son ennemi ancien. De son côté, le père de Lize lui aussi, se décide volontiers pour la réconciliation et l'union. Mais le fils et la fille s'opposent avec acharnement au rapprochement entre les deux familles. Les objectifs de ce schéma à rebours sont toujours les mêmes: avant tout plusieurs formes de complication anecdotique: complication de travestissement, complication du quiproquo, introduction d'une série de pseudo-conflits; ensuite divers approfondissements psychologiques par rapport à Liza aussi bien qu'à Aleksej; enfin l'intensification de l'élément badin à travers toutes ces formes de complication anecdotique et de relief psychologique.

Le travestissement et, parallèlement, le quiproquo deviennent plus complexes du fait que Lisa invente une deuxième mode de déguisement pour qu'Aleksej ne la reconnaisse pas telle qu'elle est à l'ordinaire ni doute qu'elle soit identique à sa paysanne; on se rappelle comment elle est habillée et maquillée le jour où son père attend les voisins a dîner. Les pseudo-conflits, surgis dès le moment où les familles se décident pour la réconciliation, prennent une vigueur plus véhémente après le dîner: Aleksej est toute froideur à l'égard de Liza, tout amour pour Akulina et s'oppose plus que jamais au projet de son père. Le conflit avec le père est commenté de façon inattendue.

Le narrateur les met tous les deux sur le même plan de rudesse et d'obstination en citant à leur égard Taras Skotinin qui se vantait qu'on ne saurait arracher avec une tenaille les idées entrées dans sa tête. Il est surprenant de voir Aleksej comparé ainsi avec cet être barbare de la comédie de Fonvizin, d'autant plus quand on se rappelle la trame de cette piece qui suggère plutôt d'autres points de contact. On y trouve en germe un quiproquo comparable à celui du récit de Puškin; seulement, dans la comédie, c'est la héroïne qui se méprend; Starodum voudrait marier Sof'ja à un jeune homme pour qui il a beaucoup d'égards, mais Sof'ja se sent embarrassée de ce projet, car elle s'est liée à Milon, qui ensuite se trouve être le jeune homme connu de Starodum.

Il semble plus aisé de comparer cette situation avec celle du récit de Puškin, que de mettre en parallèle le caractère de Skotinin et celui d'Aleksej, à moins qu'on ne veuille insister sur les contrastes. On pourrait, peut être, opposer à l'idéalisme romanesque d'Aleksej la façon anti-romanesque, bestiale et commerciale de faire la cour, mise en pratique par Skotinin. La comparaison est donc toute surprenante et c'est justement par son caractère inattendu qu'elle accuse forcément et avec un éclair de moquerie un dernier élément du caractère d'Aleksej. On s'aparcevra que son portrait se compose d'un amalgame d'éléments: il est un désillusionné à la Byron, un coureur, un personnage sentimental, un têtu obscur de la province.

La juste appréciation ironique de ces rôles est révélée directement par le narrateur. Le tout est, d'après lui, comme couvert par le fait qu'Aleksej est au fond un garçon bon et ardent, au cœur pur, capable de se réjouir des charmes de l'innocence. Comme le portrait d'Aleksej est joliment nuancé par le conflit avec son père et par sa résolution toujours plus ferme de se marier avec la paysanne Akulina, le portrait de Liza est plaissamment approfondi par son deuxième effort de travestissement. Son souci de ne pas livrer son identité et de prolonger le quiproquo, rend obstiné "l'obscur et romanesque espoir de voir enfin le pomeščik de Tugilovo aux pieds de la fille du forgeron de Prilučino". Cette obstination qui confère une note tyrannique à son attitude envers Aleksej, la place en même temps dans une situation de comédienne comme on en trouve une dans la pièce de Goldsmith: *She stoops to conquer*. On s'en rend compte que le portrait de Liza, lui aussi, est fait d'un ensemble de traits plus ou moins divergents qui créent un équilibre amusant. Sa tyrannie amoureuse qui fait d'Aleksej son jouet, ne paraît pas exclure son abandon aventureux à un ambigu de galant et de désillusionné. Et ces deux attitudes semblent s'accorder parfaitement avec le fait qu'elle est sincèrement éprise d'un homme au cœur pur et ardent, capable d'apprécier les charmes de l'innocence. La partie finale est un beau feu d'artifice qui fait exploser les méprises et les pseudo-conflits, qui résout avec éclat et beaucoup d'humour le quiproquo, qui établit en définitive le final heureux par opposition aux modèles sentimentaux. On sait que le héros a offert par écrit sa main à Akulina et qu'ensuite il s'est rendu chez Muromskij pour mettre fin à tout espoir d'un mariage avec la fille de ce dernier. Cette visite débute par un effet badin, car il la surprend plongée dans la lecture de la lettre à Akulina: il naît comme une synthèse d'Akulina et d'une jeune fille bien élévée et réservée que ne connaissent ni Aleksej, ni le lecteur. C'était Akulina, "non plus en sarafane, mais en blanc déshabillé du matin". C'est une jeune fille d'une excellente tenue qui se détourne de lui en disant en français quand Aleksej l'empêche de s'enfuir: "— Mais laissez-moi donc, monsieur; mais êtes-vous fou?" C'est encore Akulina, "— Mon Akulina bien-aimée" dont il baise les mains. Le narrateur termine son récit par une tournure typique des auteurs sentimentaux qui volontiers s'en rapportent à l'imagination du lecteur quand il s'agit d'exprimer la félicité de l'amour: "Le lecteur, ici, me fera grâce; je le laisse imaginer le dénouement." Mais le ton chez Puškin est aussi nonchalant et ironique qu'il est respectueux et enchanté chez les auteurs sentimentaux.[27]

Dans la nouvelle *Le maître de poste* le narrateur vise également aux effets de badinerie ironique, de surprise anecdotique et d'approfondissement psychologique, usant de données conventionnelles ou connues de la littérature. Pour la construction de son récit il emploie la trame de l'histoire de l'enfant prodigue, il fait usage d'un schéma de la nouvelle sentimentale et de données de la ballade *Karikatura* de Dimitriev et du genre des journaux de voyage. Ces derniers

[27] N. M. Karamzin, "Bednaja Liza", *op. cit.*, p. 44: "No ja brosaju kist'", etc.; "Natal'ja, bojarskaja dočʼ", *op. cit.*, p. 83: "on vzjal ee za beluju ruku … No skromnaja muza moja zakryvaet belym platkom lico svoe — ni slova!", etc.

éléments l'emportent au début. Le narratuer lui-même parle de ses
"curieuses observations de voyage" qu'il "espère publier prochainement". En attendant il parle longuement de la vie dure des maîtres
de poste et il s'oppose aux préjugés et traitements injustes à leur
égard. Toute cette partie est assez captieuse par le mélange de
procédés de style qui portent la trace de plusieurs auteurs. Avant
toit se fait remarquer l'élément narratif de Belkin: les rapides
propositions verbales, les constructions elliptiques et un certain ton
de conversation dû à ces constructions et aux détails familiers du
thème. La nouvelle débute par une série d'anaphores interrogatives,
suivies plus loin d'un nombre d'anaphores exclamatives, qui créent
une construction régulière et polie à la Karamzin. Cela est d'autant
plus vrai que ces figures de passion opèrent la gradation du thème
émotionnel: l'accroissement progressif des émotions par la symétrie
de sections syntaxiques est tout à fait dans le goût du fondateur de
l'école sentimentale en Russie.

Le thème en tant que tel, savoir l'emphase grandissante sur le sort
pitoyable du fonctionnaire des stations de poste et sur les injustices
des voyageurs fait plutôt penser à l'auteur du *Voyage de Pétersbourg
à Moscou*. Cette impression est encore renforcée par l'emploi assez
fréquent de vocables archaïques. Il y a pourtant des différences
fondamentales entre le thème social dans le récit de Puškin et celui
du *Journal* de Radiščev. Chez ce dernier il s'agit d'exposer les maux
horribles de la société russe comme le recrutement des paysans et la
vente d'hommes; chez Puškin par contre, il s'agit de tourner en
dérision certains préjugés invétérés, mesquins bien sûr, mais surtout
risibles. Cet élément de moquerie devient prononcé quand le narrateur se met à expliquer les causes des méchancetés des voyageurs:
"Le temps, est-il désagréable, les chemins sont-ils mauvais, le postillon têtu, les chevaux paresseux, la faute en est au maître de poste".
C'est dans de passages pareils que domine le ton de conversation
badine et ironique. Cet accent familier finit par envahir toute la
partie introductoire. Il confère aux archaïsmes une nuance d'ironie.
Les figures de passion, oscillant an premier abord entre le sérieux
et le risible, sont enfin revêtues également d'une nuance moqueuse.
Les interrogations négatives du début, mettant sur le même plan le
narrateur et ses lecteurs, ne sont après coup que des reproches badins

à leur égard. Même Radiščev pourrait se le tenir pour dit: n'at-il pas été sur le point de rosser un maître de poste?[28] Il est possible en effet, de voir une allusion directe à l'auteur du *Voyage* dans la tirade suivante: "Qu'est-ce qu'un maître de poste? Un vrai martyr de quatorzième rang, que son grade préserve tout juste des coups, et encore pas toujours! (Je m'en rapporte à la conscience de mes lecteurs)".

Ce passage ne me semble pas seulement drôle à cause du mélange de mots disparates "martyr de quatorzième rang", ou du fait que l'auteur s'adresse confidentiellement au lecteur, mais surtout à cause de l'allusion supposée. Disons en résumé que dans la partie introductoire le narrateur réussit à fondre des accents de commisération et d'ironie et qu'il prend ainsi le ton voulu de tout ce qui va suivre.

Il glisse l'histoire de l'enfant prodigue dans la nouvelle là où il se met à décrire la série d'images dont est ornée la demeure du maître de poste. Par la suite, cette histoire agira de deux manières. Elle fournit après coup au lecteur des suggestions qui vont dans deux directions et qui s'avéreront fallacieuses à la fin. D'abord il y a des suggestions qui se dégagent du spectacle de l'adolescent ruiné, en haillons, gardant les pourceaux et partageant leur pitance. Ce spectacle paraît préfigurer symboliquement le sort pitoyable que partagera vraisemblablement Dunja, la fille du maître de poste. Ensuite il y a les suggestions provoquées par le tableau du vieillard heureux, accourant à la rencontre de son fils. Ce tableau semble également acquérir une valeur symbolique et nourrit quelque temps l'espoir du retour de Dunja.

Les suggestions de la misère prennent forme au moment où le narrateur semble modeler le sort de l'héroïne sur un schéma connu de la nouvelle sentimentale: le rapt d'une jeune campagnarde par un hussard qui ensuite l'abandonnera et causera sa mort précipitée ou sa douleur jusqu'à la mort. Le lecteur s'attend d'autant plus à une pareille fin triste à cause de l'emploi répété des vocables "pauvre Dunja". Le postier s'en sert parlant de sa fille égarée. Et le narrateur fait de même après avoir entendu l'histoire de Dunja: "Et longtemps [...] longtemps je songeai à la pauvre Dunja". Ces deux

---

[28] A. N. Radiščev, "Putešestvie iz Peterburga v Moskvu", *Russkie očerki*, I (Moskva, 1956), p. 3.

derniers mots ont d'autant plus de force suggestive qu'ils s'accumulent vers la fin du récit. Les allusions à une fin déplorable sont ren-
forcées encore par des remarques fortement terre à terre qui échap-
pent au vieux postier et que le narrateur cite mot à mot. Le patois
accentue encore la force suggestive de ces suppositions qui brisent
la perspective sentimentale de la douleur de Dunja en insistant
plutôt sur des détails de misère comparables à ceux qu'on trouve
dans l'histoire de l'enfant prodigue: "Tout arrive! Ce n'est ni la
première, ni la dernière qu'aura séduite un voyageur libertin: ils les
gardent quelque temps puis les abandonnent. Elles sont nombreuses
à Pétersbourg les jeunes sottes, parées aujourd'hui de soie et de
velours, qui demain balaieront les rues en compagnie des pires
gueux".

Le mieux que le maître de poste puisse espérer pendant quelque
temps, c'est une fin qui ressemble à celle de la nouvelle biblique.
Cela ne veut pas dire qu'il pense au retour de sa fille outragée, au
contraire, il s'en va à pied à sa recherche dans l'espoir de ramener à
la maison "sa brebis égarée". Mais il se trouve que toutes les allusions au sort pitoyable de Dunja sont fallacieuses, et leur démasqué
suit avec un effet de revirement surprenant: c'est ce que j'ai appelé
l'élément de la surprise anecdotique, qui surgit au moment où les
événements prennent le contresens des schémas conventionnels
qu'ils semblent imiter. Au cours du récit, les symptômes de ce
revirement ne sont que des éclairs épars, vite effacés par les allusions tristes. Ce n'est que dans la partie finale que ce changement de
perspective s'effectue avec éclat. Alors il s'avère que Dunja n'a point
été abandonnée par son amant et ne périt pas dans la misère, mais
qu'elle mène une vie de jolie madame d'une excellente tenue, mère
respectable de trois petits barines.

Les orientations fallacieuses sur une fin désespérée de nature
sentimentale et sur des détails de misère comparables à ceux d'une
nouvelle biblique ont aussi leur fonction propre à la complication
psychologique du thème. Elles contribuent à approfondir le caractère du postier, à mettre en lumière les mobiles cachés derrière
toutes ses actions et réactions émotionnelles. C'est ainsi que derrière
ses efforts pour retrouver "sa brebis égarée" et derrière sa façon
d'interpréter la situation où il la trouve, s'exprime parfois une tout

autre attitude que celle d'un père sollicité par le besoin d'accourir à l'aide de son enfant perdue: son attitude est alors celle d'un vieux père qui agit en amoureux de sa fille et en rival de son amant. Qu'on se rappelle ses exclamations: "— tout comme feu sa mère", "— Quelle fille c'était!" etc. Qu'on pense ensuite à la scène dans la maison du séducteur Minskij, scène vue par les yeux d'un amant refusé dont la triste attitude romanesque est accusée par la tournure littéraire: "Dunja, parée de tout l'éclat de la mode, se tenait sur le bras du fauteuil, telle une écuyère sur une selle anglaise.[29] Elle regardait tendrement Minskij en nouant autour de ses doigts étincelants les boucles noires de l'officier. Pauvre maître de poste! Jamais sa fille ne lui avait paru si belle; il ne pouvait s'empêcher de l'admirer". Cette attitude d'amant refusé a pour effet qu'il fait la sourde oreille aux paroles de Minskij. L'officier a beau dire qu'elle sera heureuse, qu'il le lui jure, qu'elle l'aime, qu'elle est déshabituée de son existence d'autrefois, etc., le maître de poste se tient à l'opinion conventionnelle que les jeunes sottes, parées aujourd'hui de soie et de velours, demain ... Cette opinion, devenu un leurre dans la littérature de ses jours, lui sert de moyen pour refouler et masquer son chagrin plus profond. À ce point de vue, il est significatif qu'une fois convaincu que sa fille s'est liée passionnément à l'officier, il renonce à toute tentative de la sauver et que pour commencer, il ne suit pas le conseil de porter plainte. Son attitude de rival refusé ou, pour être plus exact, de mari quitté, est suggérée aussi par le voyageur-narrateur quand il observe comment, pendant son récit, le postier essuie ses larmes "d'un geste pittoresque avec les pans de son vêtement, à la manière du zélé Terent'ič dans la belle ballade de Dmitriev." Cette ballade chante le retour d'un soldat à sa maison qu'il retrouve déserte et dégradée, l'épouse ayant disparu, enlevée par un séducteur. Dans les points essentiels le récit de cet événement triste, fait par le domestique Terent'ič, ressemble parfois mot à mot à la narration du maître de poste.[30]

---

[20]   A. A. Akhmatova a mis en comparaison avec cette tournure une phrase de Balzac: "J'aperçus une jolie dame assise sur le bras d'un fauteuil, comme si elle, eût monté un cheval anglais", citée par V. V. Vinogradov, *Stil' Puškina* (Moskva 1941), p. 574.

[30]   Dans la ballade de Dmitriev on rencontre les lignes:

Approfondissements psychologiques, surprenant revirement du thème mais aussi ironie fine, résultent de l'emploi des éléments conventionnels de la littérature. La ballade de Dmitriev, en tant que parodie des attentes sentimentales du guerrier héroïque, ne peut que colorer d'une nuance de réserve ironique l'aventure du maître de poste. Cette impression s'impose plus encore au lecteur s'il tient compte de l'observation du narrateur, immédiatement après que celui-ci a comparé Terent'ič avec le postier: étant touché par les larmes du vieillard, il ne veut pas oublier pourtant qu'elles "étaient dues en bonne partie au punch dont [le postier] avait avalé cinq verres au cours de sa narration."

Mais le récit prend, peut-être, son aspect le plus ironique au moment où l'on se rend compte que malgré les allusions emphatiques à l'avenir pitoyable de la pauvre Dunja, il n'y a qu'un destin vraiment pitoyable: celui du postier. L'ironie est revêtue d'une note sophistiquée grâce au dédoublement du vieillard, dédoublement en père et en mari de Dunja. On peut en conclure que ce récit si douloureux, ce récit qu'on considère comme le grand exemple de l'école du naturalisme sentimental garde, comme les autres nouvelles du recueil, son caractère badin.

Dans *Le marchand de cercueils*, Puškin fait un mélange des éléments romantiques du "caractéristique", du "macabre" et du "fantastique". Ses objectifs artistiques sont toujours les mêmes: raffinement de l'aspect badin et ironique, complication anecdotique, relief psychologique. On sait que l'exigence du "caractéristique" dans la représentation des personnages et des milieux est un principe esthétique du romantisme, opposé aux maximes classiques du beau. Les romantiques condamnaient les règles classiques precrivant

---

"Terent'ič prodolžaet:
«Chozjajuška tvoja
Živa il' net, bog znaet!

Vot pjatyj god v ischode,
Ochti nam! — kak ob nej
Ni slucha net, ni ducha...»"

Dans le récit de Puškin: "«Zdorova li tvoja Dunja?» prodolžal ja ... «A Bog ee znaet» otvečal on. ... «Vot uže tretij god, ... kak ob nej net ni sluchu, ni duchu. Živa li, net li, Bog ee vedaet»". Cf. V. V. Vinogradov, *O stile Puškina, op. cit.*, p. 150.

d'amender la nature, d'en supprimer les irrégularités et les défauts, de la modeler sur les idées universelles des choses et de remplacer, en conséquence, l'individu par des types tels que l'amant, l'ambitieux, l'avare.

Ils se réclamaient, en revanche, de tout ce qui, à leur avis, était conforme à la vérité "d'après nature", de tout ce qui particularise un personnage, de tout ce qui indique sa nationalité, son époque, son milieu sans distinction de vertus et de défauts. C'est ce que semble réaliser le narrateur de Puškin. Les détails caractéristiques du héros et de son décor abondent dans *Le marchand de cerceuils*. Il y a les attributs de son métier: les flambeaux, les manteaux de deuil, etc. Il y a les réflexions du héros qui s'adaptent parfaitement à son négoce. Il y a d'autre part les conversations faisant essentiellement partie de son commerce. Bref, le narrateur paraît procéder comme un écrivain romantique des plus purs. Il ne vise pourtant à cet effet que pour railler inopinément certains principes fondamentaux des adhérents du romantisme. Il se moque de leur sens du réel d'après lequel dans la nature humaine les contradictions vivraient accouplées. Cette moquerie est indéniable quand il dit que le respect de la vérité le retient de représenter le fossoyeur comme un personnage hilarant et facétieux: le caractère de son marchand répond parfaitement à sa macabre profession et — comme dit le narrateur lui-même — il a fallu renoncer au beau contraste qu'emploie un Walter Scott pour frapper notre imagination. Ainsi, en se réclamant de la vérité, en affectant en quelque sorte d'être plus romantique que le romantisme, il aboutit à la représentation d'un caractère qui fait penser aux entités classiques: le marchand de cercueils est ce qu'il est, toujours conforme à lui-même, c'est-à-dire à sa morale de boutiquier morose et d'escroc.

Les badinages avec le concept du "caractéristique" touchent une corde spéciale dans le passage où le narrateur d'écrit la tenue du marchand et de ses filles, le soir qu'ils se rendent chez le cordonnier. Déclarant qu'il déroge à l'habitude de décrire les habits des personnages et qu'il s'arrête seulement à certains détails hors de la règle, il énumère tout ce qu'il prétend passer sous silence: "Je ne décrirai ni le cafetan russe …" etc. Le narrateur vise à ses plus beaux effets d'amusement, de surprise anecdotique et de relief psychologique

quand il mêle le genre fantastique au genre macabre. Il compose ce
mélange tout autrement qu'un Marlinskij ou un Walter Scott. Chez
ces derniers le macabre fait irruption dans le monde des vivants
comme un élément hideux absolument étranger à l'homme et
soumis aux lois sinistres et insaisissables d'outre-tombe. Scott et
Marlinskij aiment à insister sur la vérité de cette extension du
royaume macabre au monde humain: après que les fantômes ont
disparu et que le héros s'est reveillé en pleine réalité, ils pourvoient
leur personnage et leur lecteur de quelque preuve matérielle pour
disperser le doute que tout ne fût qu'un rêve hallucinatoire.[31]

Le narrateur de Puškin ne laisse subsister aucun doute qu'il ne
s'agit que d'un rêve du marchand. Le macabre doit symboliser sa
vie chagrine de petit escroc. Ce qui rend bien amusant ce symbolisme et ce qui donne au macabre une nuance très bizarre, c'est le
fait que les corps ravagés et les squelettes, entrès dans la maison du
marchand, se comportent comme de simples mortels: ils sont
aimables, timides, ironiques, indignés. Avant tout, la création
onirique du morne marchand paraît avoir peuplé son appartement
de morts doux et souriants. Ils sont aimables, ces anciens clients qui
l'entourent, le saluent et le complimentent. Il est aimable, son tout
premier client, devenu un petit squelette, dont "le crâne souriait
affectueusement au marchand de cercueils". Si le contraste entre
la morosité habituelle du marchand et la bonne humeur de ses
visions divertit le lecteur, il ne se laissera pas moins gagner par le
fin humour dont sont empreints les personnages de rêve en tant que
vestiges du métier et de la morale du fossoyeur.[32] Ce relief socio-
psychologique se traduit notamment par les détails d'habit des
défunts: les bonnets et rubans des dames mortes, les uniformes et
cafetans de fête de l'autre sexe. Bien significatifs à cet égard sont les

---

[31] "Steenie would have thought the whole was a dream, but he had the receipt
in his hand, fairly written and signed by the auld laird", Sir Walter Scott,
"Wandering Willie's tale", *Selected English stories, XIX century, first series*
(London, 1956), p. 46.

"«... bratec vaš ... vsju etu basnju, videl vo sne». «Brat moj snačala dumal to
že samoe» — vozrazil dragunskij kapitan, «pokuda meždu sgibom pis'ma ne
našel bankovogo bileta v sto funtov sterlingov»", A. A. Bestužev-Marlinskij,
"Večer na Kavkazskich vodach v 1824 godu", *op. cit.*, p. 258.

[32] Vinogradov parle de "bytovaja materializacija romantičeskich 'tenej'", "O
stile Puškina", *op. cit.*, p. 182.

haillons d'un pauvre diable qui n'a rien payé pour son enterrement et qui, gêné, honteux de ses vieux lambeaux de toile, reste humblement à l'écart, dans un coin. Timidité honteuse que le marchand doit considérer comme dans les règles, timidité humaine qui n'a rien de sinistre et confère peut-être l'accent le plus paradoxal au macabre, en fait une sorte de macabre doux, sans mechancété, de macabre tout humain en somme. Cette "contradictio in terminis" sert pourtant au narrateur à faire monter précipitamment la terreur du marchand.

Le narrateur se garde d'ailleurs d'en exprimer la profondeur psychologique. Mais le lecteur devine que le marchand, déjà frappé de terreur à la vue des clients qu'il avait mis en bière, doit être terriblement effrayé de voir leurs airs chaleureux, leur indulgence vis-à-vis de ses escroqueries, voire leur contentement causé par ces mêmes réussites d'escroc dont il était si content autrefois. Aussi l'apogée de la terreur du marchand et le point culminant du récit coïncident-ils au moment où le petit squelette s'approche d'Adrian, le crâne souriant, et lui rappelle, comme s'il s'agissait d'une gageure recommandable qu'il ne fallait par oublier: "— Tu ne te souviens pas du sergent retraité, Pëtr Petrovič Kurilkin à qui en 1799, tu vendis ton premier cercueil? Et c'était du sapin pour du chêne! À ces mots le squelette ouvrit les bras." On sait que le moment suivant, le fossoyeur repousse Pëtr Petrovič avec tant de violence que le squelette tombe en miettes tandis que les autres morts s'indignent à juste titre de cet accueil grossier de leur camarade et se mettent à défendre son honneur comme le feraient de simples mortels et non pas des spectres sinistres. Pour le marchand de cercueils pourtant, leur indignation ne peut avoir qu'une signification de vengeance inquiétante. Le raffinement de toute cette partie réside dans le balancement d'une série de paradoxes: le narrateur met en harmonie le macabre et les sentiments humains. Cette harmonisation, il la présente comme le comble de l'épouvante d'outre-tombe. Et il en fait le symbole de la terreur du marchand. Il suggère par là que ce personnage est pris de scrupules refoulés et se met à rêver de ses morts escroqués en se les imaginant comme ses hôtes souriants. C'est là le relief psychologique qu'il fait glisser dans cette partie fantastique et macabre.

Le dénouement surprend par l'absence frappante de surprise.
Nous avons déjà signalé que la partie finale ne fournit aucune
preuve "matérielle" de la réalité des expériences macabres. Le
marchand se réveille et toute l'histoire bizarre se réduit à quelque
cauchemar. Les chimères s'évaporent en même temps que les
scrupules du marchand. Le récit retourne à son point de départ
comme s'il ne s'était rien passé. Plusieurs motifs du début réapparaissent: "— Apporte vite le thé et va chercher mes filles". La seule
différence marquée est que le marchand paraît d'aussi bonne humeur
qu'il l'était peu au début. Différence qui amuse d'abord mais qui
ensuite surprend par son ironie un peu amère, par la mise au point
de la partie centrale du thème: l'immobilité de la vie banale du
fossoyeur et le fait que ses scrupules se trouvent de nouveau bien
ensevelis comme des momies dans son cœur.

2

Pour la construction des cinq récits, Puškin fait usage de trois
situations parallèles. Dans trois récits ces situations constituent le
cœur de l'action. La première situation en est le prélude, la deuxième comprend au moins une partie spectaculaire des complications dramatiques, et la troisième apporte le dénouement. Dans un
récit elles ne poussent aucunement les événements au centre, et dans
un autre elles ne le font qu'en partie. Mais dans ces deux cas elles
fournissent néanmoins des données de prélude et d'exposition (la
première situation), elles donnent des nuances importantes à l'action
centrale (la deuxième situation) et enfin elles amènent aussi le
dénouement. Il s'ensuit que les trois situations parallèles constituent
d'importantes parties de la structure des récits, malgré les longs
intervalles qui souvent les séparent. Leur disposition est marquée
davantage par les passages subits aux parties suivantes qui diffèrent
non seulement de thème mais parfois encore de plan d'action et
même de narrateur. Le parallélisme est un moyen de comparer non
seulement les ressemblances mais encore les différences, les contradictions, les paradoxes. Il est un moyen de révéler implicitement et
avec beaucoup d'humour comment un homme se contredit dans des

situations comparables ou comment plusieurs hommes se contre-
disent dans leur interprétation d'un même phénomène. Qui dit
parallèle, dit avant tout contraste. L'opposition de deux parties fort
contrastantes est l'apanage de la composition des cinq récits. Et c'est
le plus souvent la partie centrale qui produit les plus fortes oppositions sous la forme parfois de drôleries burlesques. Il y a en outre
d'autres rapports de tension entre les trois parties: la partie introductoire et celle du dénouement sont connexes de façon à contre-
dire la partie centrale.

Dans *Le coup de pistolet* l'analogie des trois situations principales
consiste avant tout dans l'attente vaine d'un coup mortel. On s'y
attend après le conflit pendant le jeu de cartes et au cours des deux
étapes du duel. Le conflit sert en quelque sorte de prélude aux deux
phases du duel: l'interruption du combat et sa reprise, située six ans
après. C'est dans la première phase que la complication des développements atteint son comble, la deuxième apportant les péripéties et
le dénouement.[33]
  La disposition des situations parallèles est telle qu'elles se succèdent avec des narrateurs différents après un court et un long inter-
valle. Le passage aux parties intermédiaires se distingue par son
allure de transition subite, pleine de suspense. Les trois parties
parallèles mettent en contraste les attitudes de Sil'vio: les mélanges
divers de byronisme, corrompu par une série d'actions et d'arguments contraires à son esprit. La partie introductoire et le dénouement montrent, en opposition avec la situation centrale, certaines

---

[33] Le triple parallélisme ne comprend pas le tout de l'arrangement: il est un
moyen à faire ressortir avec relief trois parties importantes de la disposition.
Aussi ne sommes-nous pas d'accord avec N. L. Stepanov, d'après qui la structure est divisée en trois épisodes symétriques: les récits des antagonistes et
l'histoire des premières relations entre le narrateur et Sil'vio. N. L. Stepanov,
Proza Puškina (Moskva, 1962), pp. 193-194. Vinogradov distingue quatre plans.
Comme le premier plan il paraît considérer les épigraphes et les allusions qui
s'en dégagent. Il met en parallèle le conflit avec l'officier et les deux phases du
duel, "O stile Puškina", *op. cit.*, p. 190. L'analyse de la composition dans le livre
de Blagoj tient compte du groupement de toutes les parties, D. Blagoj, *Masterstvo Puškina* (Moskva, 1955), pp. 223-240. Cf. aussi J. Thomas Shaw, "Puškin's
The shot", *Indiana slavic studies*, III (The Hague, 1963), pp. 114, 117-118;
Ulrich Busch, "Puškin und Sil'vio", *Opera slavica, IV, Slawistische Studien zum
V. Internationalen Slawistenkongress in Sofia 1963* (Göttingen, 1963), p. 413.

affinités: dans le prélude Sil'vio paraît faire preuve de générosité envers son adversaire, il le nie passionnément dans le récit de son combat interrompu, mais d'autres signes généreux dans la troisième parallèle paraissent le confirmer. Le refus de tirer, situation qui se rencontre dans toutes les trois parties, acquiert une valeur symbolique. Il devient le symbole d'une attitude morale dont Sil'vio paraît honteux comme d'une faiblesse et qu'il cherche à cacher derrière des poses de haine et de vengeance. C'est ce côté commun aux trois situations qui intensifie de plus en plus leur aspect badin. Les scènes toujours plus violentes en sont teintées d'ironie furtive. Cette ironie colore surtout la dernière partie, la phase finale du duel. C'est en même temps la partie la plus contrastante: de nombreux motifs se répètent dans une situation dramatique tout opposée à la précédente.

Pour l'analyse de détail du relief psychologique, des badineries ironiques et des surprises anecdotiques auxquels aboutit cette construction, nous nous référons à notre article sur *Le coup de pistolet*.

Les trois situations comparables dans le deuxième récit du recueil sont les trois fois qu'un personnage se met en route, la nuit, dans une terrible tourmente de neige.

La première partie analogue, consacrée à l'aventure nocturne de Maša, sert de prélude en raison de son emphase sur les augures du destin. Deux éléments du sentimentalisme suffisent à suggérer l'atmosphère fatidique: les effets tumultueux de la tempête de neige sont vus comme des symboles mis à la mode par Karamzin: "partout menaces et tristes présages"; la jeune fille romanesque est représentée comme la jeune criminelle conventionnelle, menacée par les forces de la nature:[34] "le vent soufflait comme pour arrêter la fuite de la jeune criminelle".

A la fin de ce court passage le narrateur insiste de nouveau sur

---

[34] Cf. la réaction de la héroïne après la scène de séduction dans la nouvelle "Bednaja Liza": "Meždu tem blesnula molnija i grjanul grom. Liza vsja drožala. «Erast, Erast! — skazala ona — Mne strašno! Ja bojus', čtoby grom ne ubil menja, kak prestupnicu!»", N. M. Karamzin, *op. cit.*, p. 47. Cf. aussi Brang, *op. cit.*, p. 226.

le phénomène du destin. Mais cette fois-ci il plaque un tout autre accord. Il prend un ton nonchalant et un peu moqueur en parlant aussi familièrement du destin que du cocher Tereška: "Confions la jeune fille aux soins du destin et au zèle du cocher Tereška, et revenons à notre jeune amant".

Il paraît au premier abord que toute cette première situation est liée à la deuxième par ses augures et par la transition subite qui nous fait passer directement de Maša — brusquement abandonnée — à l'aventure nocturne de Vladimir. Le changement subit de ton, lui aussi, paraît nous préparer aux pérégrinations risibles du jeune homme. Pourtant l'aventure de Maša est plus forcément liée à la troisième situation parallèle qui nous montre Burmin en proie aux éléments. Elle y est rapportée par plusieurs points de contact: le symbolisme littéraire, le fait que l'aventure de Burmin sert comme suite à celle de Maša. Burmin paraît considérer la tempête de neige comme la représentation symbolique d'une puissance qui porte avec elle une destinée irrévocable. Il en est ainsi quand il dit que dans cette nuit mémorable une inexplicable inquiétude l'envahit, qu'on eût dit que quelqu'un le poussait à partir pour Wilno au plus fort de la tempête. Cette interprétation symbolique du tumulte nocturne contraste de façon marquée avec la représentation symbolique dans le cas de Maša. Elle y voit comme une force morale qui veut la retenir et qui prédit le malheur devant arriver si elle quitte la maison paternelle. Pour Burmin il s'agit d'une force maléfique comme le montrent les événements ultérieurs. Ils dégagent en quelque sorte "les menaces et tristes présages" lors de la sortie de Maša, ils donnent un complément ironique à l'observation enjouée du narrateur: "confions la jeune fille aux soins du destin ..." On sait que Burmin perdra la route et que le hasard le mènera à l'église de Žadrino où dans l'obscurité on le prendra pour Vladimir et le mariera à une jeune fille inconnue, trop inquiète pour voir qu'il n'est pas celui qu'elle attend anxieusement depuis des heures. La valeur symbolique de l'aventure de Burmin paraît se répandre comme par contre-coup sur les épreuves de Vladimir dans cette nuit d'infortunes. Les deux hommes sont comme les victimes d'une même force fatale. Tout se passe comme si la tempête voulait se jouer d'eux et précipite l'un dans le sort auquel aspire l'autre. Il ne

faut pourtant pas prendre les divers aspects du symbolisme trop au
sérieux.[35] Sinon on risque de perdre de vue l'opposition badine des
deux puissances célestes, substituées à la tempête: puissance morale
et puissance maléfique. Et alors on courra notamment le risque de
ne pouvoir se divertir de leur paradoxale coopération au malheur
de trois hommes. Ensuite, attachant trop d'importance à ces augures
et à leur suite néfaste, on perdra facilement de vue que le narrateur
les utilise en tant que symboles littéraires conventionnels lui servant
à composer le portrait ironique de ses personnages. Ce n'est pas, à
coup sûr, pour désigner quelque puissance céleste mais pour évoquer
le désir d'une excitante aventure amoureuse que le narrateur accompagne de signes sentimentaux la sortie de Maša dans la nuit tempétueuse. Nous nous référons à la premiére partie de notre article, où
nous avons expliqué comment ces personnages font de leur vie une
création littéraire afin de rendre plus piquantes leurs affaires
d'amour et mieux réussir dans l'art de séduire. Nous y avons mis en
lumière que le récit de Burmin avec son symbolisme romanesque, sa
tirade à la Saint-Preux, son cri douloureux de héros sentimental,
fait partie d'une tactique pareille. Aussi ne faut-il pas parler grave-
ment des choses élevées comme le destin, la fatalité, les puissances
diaboliques et leurs victimes, dont le récit serait une manifestation.
Ou, si l'on en parle, il faut insister sur le relief badin que le narrateur
leur confère. Alors on ne peut pas laisser de remarquer l'atmosphère
bouffonne qui accompagne la partie centrale, et on est à même
d'apprécier la manière dont Vladimir, pour sa part, fait reconnaître
comme vrais les tristes présages qui agitent Maša, et comment il
semble être le jouet de la même force fatale qui pousse Burmin.
Toute cette partie est en contraste frappant avec les deux autres
situations. En premier lieu, il manque le conventionnel relief
littéraire, à moins qu'on ne sente une vague réminiscence de scènes
interpolées qui brisent par leur burlesque le tragique tendu.
Deuxièmement, le récit de l'aventure tragi-comique de Vladimir est
aussi circonstancié que l'histoire de Maša et Burmin sont courtes.

---

[35]   Pour Vinogradov la tempête symbolise les aspects tragiques dans les expériences de Vladimir et de Maša. Dans le cas de Burmin, la tempête est d'après
lui, sans valeur symbolique et sans coloris tragique, "O stile Puškina", *op. cit.*,
pp. 174-175.

Dans le récit de Maša le narrateur se restreint dès le début après avoir fait quelques remarques concises sur la tourmente. Burmin, lui aussi, en racontant lui-même son aventure nocturne, ne donne que quelques indications lapidaires de la tempête de neige. Il ajoute laconiquement la raison de son fourvoiement : "Le postillon dépassa l'endroit où l'on rejoignait la route, de sorte que nous nous trouvâmes dans un pays inconnu".

Chez Maša, comme chez Burmin, l'emphase émotionnelle porte sur le symbolisme littéraire qu'ils croient voir dans la tourmente. Dans la narration des pérégrinations pénibles de Vladimir manquent la concision et l'économie des moyens d'expression. Ce manque est en parfait accord avec ses épreuves qui se multiplient sans cesse. Elles font penser aux gags montés par les anciens cinéastes. Il y a le but presque atteint à plusieurs reprises : c'est l'église derrière le petit bois de Žadrino où il va se marier avec Maša. Et il y a la série interminable des mêmes obstacles : ce sont les caprices de la tempête, auxquels il est en proie. Toute l'emphase émotionnelle porte sur le torrent d'incidents banaux et sur les cabrioles auxquelles il a recours pour s'en tirer. Des répétitions — et notamment celle des mêmes compléments de temps — servent à l'exprimer : "A chaque instant, le cheval montait sur les tas de neige ou descendait dans les fossés, le traîneau versait à chaque instant ... A chaque instant Vladimir enfonçait dans la neige jusqu'à mi-corps ... à chaque instant le traîneau versait et à chaque instant il le redressait".

La gradation de confusion vaine est énoncée par des remarques répétées sur la durée de l'épreuve, jointes aux indications de l'endroit recherché : "Plus d'une demi-heure s'était certainement écoulée et il n'avait pas encore atteint le bois de Žadrino ... Depuis plus d'une heure qu'on était en route, Žadrino ne devait plus être loin ...", etc. L'état de trouble sans issue est rendue plus fortement encore par la répétition de verbes successifs ou de phrases complètes : "Ils avancèrent et avancèrent mais on ne voyait pas Žadrino ... la forêt cessa, mais on ne voyait toujours point Žadrino". Des exclamations expriment de faux espoirs et achèvent en quelque sorte l'aspect tragi-comique des malheurs : "Enfin ... Dieu soit loué ! ... nous voici maintenant tout près". La fin de cette partie de retardement burlesque vient subitement. Le narrateur quitte brusquement son personnage comme il a abandonné Maša à la fin de la première situation parallèle. C'est dans le cas de Vladimir aussi qu'il termine par un effet de suspension. Il ne nous met pas au courant des événements à Žadrino lors de l'arrivée de Vladimir. Il ne donne que quelques renseignements qui anticipent sur un nouveau malheur et prend congé de son héros par une figure interrogative: "Les coqs chantaient ... L'église était fermée ... La troïka n'était pas dans la cour. Qu'allait-il apprendre!" La transition soudaine à la partie suivante contraste par son aspect commun avec les événements qui viennent de se passer et elle cache encore une surprise badine en prenant le contresens d'une transition pareille chez Karamzin dont nous avons parlé plus haut.

Rappelons enfin les plus marquants effets du triple parallélisme: intensification de l'aspect badin au point de rendre amusants des événements tragiques empreints de fatalité, intensification de l'aspect anecdotique en raison de contrastes prononcés, de rapports paradoxaux, de transitions abruptes et suspensives, relief psychologique aux attitudes de pose.

Le triple parallélisme et le jeu avec les conventions sont si entrelacés dans *La Demoiselle-paysanne* que notre analyse de l'emploi des schémas traditionnels a dû anticiper sur de nombreux effets du parallélisme. Par conséquent nous nous référons d'avance à la première partie de notre article pour presque tout ce qu'il y a de relief psychologique, de complications anecdotiques et de badineries. Il nous reste à esquisser la disposition des situations comparables et à accuser un seul aspect facétieux. Le parallélisme comprend les scènes du travestissement. Il y en a cinq ou plutôt: on compte deux modes de déguisement différentes, réparties sur quatre scènes, et une scène où l'habit quotidien a l'éffet d'une nouvelle mode de travestissement.

Trois fois Lise est montrée en simple mise paysanne, telle une héroïne sentimentale allant à la rencontre de son jeune seigneur aimé. Un nombre indéfini de rendez-vous idylliques est suggéré avant que l'auteur passe à l'accident qui rapproche les deux familles et renverse la situation à la Shakespeare et à la Scott. L'auteur a rendu poignante cette transition par la mise au point de la situation romanesque et par l'anticipation brusque sur les choses à venir.

Ainsi on entend que le jeune homme tout en étant épris de sa paysanne ne puisse oublier la distance qui le sépare de celle-ci, que Liza connaisse trop la haine qui divise leurs pères pour espérer un accommodement et qu'en outre, elle éprouve le vague désir de forcer à ses pieds de paysanne le jeune barine. "Un événement considérable faillit subitement modifier leurs rapports", voilà les mots par lesquels le narrateur prépare son lecteur aux événements qui amèneront l'amitié des deux voisins et en premier lieu la visite du père et du fils à la maison de Liza. Cette visite aurait dû devenir l'occasion du démasqué de Liza qui jusqu'ici, n'est seulement connue du fils comme sa ravissante paysanne Akulina. Mais elle sait trouver une nouvelle mode de travestissement contrastant en tout avec la sobre mise villageoise. Et le narrateur trouve les moyens d'étaler tout un bazar de caprices de la mode et de nous amuser par une péripétie d'une drôlerie burlesque. Il fait d'elle une espèce de mijaurée accoutrée, affublée d'une perruque aux boucles blondes et crépelées à la Louis XVI, de manches "à l'imbécile", de tous le diamants non encore engagés au mont-de-piété, etc.

Nous avons dit que le dénouement a l'effet d'une troisième mode de travestissement. Il montre comme la synthèse de Liza-demoiselle et Liza-paysanne. C'est ainsi que ce dernier épisode et les situations idylliques sont connexes et en contraste prononcé avec la partie de l'accoutrement.

Dans aucun des récits l'arrangement des trois situations parallèles est si évident que dans *Le maître de poste*. Mais en même temps dans aucun des récits ces situations sont si extérieures, si peu formatrices du développement principal. Il s'agit des stationnements du voyageur-commis au relais de N. Ils constituent les trois phases de l'encadrement du récit central. Elles remplissent pourtant des fonctions importantes: elles servent d'introduction au récit central et d'observations à son propos.

La première phase de l'encadrement réunit les fonctions d'exposition et de prélude de l'aventure centrale. La deuxième phase montre la transformation de la scène et donne ainsi comme des signes muets du drame dont ensuite le voyageur-commis est informé par le maître de poste: c'est là le récit encadré tel qu'il est rendu par le narrateur

d'après les données de son interlocuteur. La dernière phase enfin apporte les données du dénouement de la nouvelle centrale. Pendant son premier arrêt, le narrateur-voyageur introduit les personnages et fournit les détails de la scène: la demeure humble mais propre, le vieillard frais et vigoureux et surtout la fille resplendissant de beauté. Le narrateur évoque l'atmosphère d'intime chaleur dans laquelle il vit en quelque sorte la vie de ses amis. Toute cette espèce de vie en rose s'accorde mal avec ses jérémiades sur le sort pénible des postiers, si maltraités par les voyageurs, et sur son propre sort d'insignifiant voyageur-commis, si maltraité par les postiers. Ce désaccord se fait sentir davantage par le changement de ton. A première vue le narrateur paraît être plus sincère dans le compte rendu de son premier arrêt qu'il ne l'était dans les parties introductoires. Sans badinage et sans ironie il semble prendre conscience des particularités du relais et de ses locataires. A un moment donné il y a pourtant je ne sais quelle nuance de nostalgie dans le ton du narrateur. Il en est ainsi par exemple quand il dit: "Tout ceci s'est conservé jusqu'aujourd'hui dans ma mémoire: les pots de balsamine, le lit derrière un rideau bariolé ...", etc. Ce ton transmet un peu de sa résonance aux faits communiqués apparemment de façon objective: les coquetteries de Dunja, ses airs de jeune fille qui a l'usage du monde. Le lecteur sera peut-être porté à donner un sens spécial aux descriptions des tableaux qui viennent de passer, à la représentation de l'enfant prodigue, attablé en compagnie de faux amis et de femmes impudiques. Cependant le narrateur n'y fait point allusion. Et ensuite il semble vouloir dissiper l'atmosphère de mélancolie vague, reprenant le ton badin et ironique de l'introduction. Il se met à poétiser les complaisances coquettes de Dunja en les mettant inopinément en contraste avec les libertinages dont il confesse avoir pris l'habitude. Il raconte qu'à son départ, seul avec Dunja dans le vestibule, il lui demande la permission de l'embrasser: Dunja consentit ... J'ai échangé beaucoup de baisers
                     Depuis que j'exerce ...
mais aucun ne m'a laissé souvenir si doux et si durable". Transformant cette scène perdue en poésie légère, où tout gravite autour du narrateur, il semble ironique plutôt envers lui-même que par rapport à Dunja. Il est certain qu'en exaltant le baiser furtif et

fugitif de la fillette, il fait preuve d'un humour moqueur, la ran-
geant du côté de ses vraies conquêtes. Après ces moments rétro-
spectifs, le lecteur paraît être en règle pour s'attendre â des scènes
légères et charmantes. Toutefois les suggestions mélancoliques qui
se rattachent à d'autres moments, le font se perdre en conjectures.
C'est ainsi que cette première partie de l'encadrement prend son
élan de prélude badin fait de choses un peu incertaines.

La deuxième situation contraste en tout avec les moments heureux au relais de N. et "résout" les allusions dans un sens négatif.
Ce n'est que par la réserve ironique du narrateur que cette étape de
l'encadrement se rattache encore aux parties précédentes. En
s'approchant de N. le voyageur-commis a déjà le pressentiment
d'un malheur. Et il trouve en effet la scène définitivement changée :
partout la ruine et l'abandon, les pots de balsamine ne sont plus là,
la fille du maître de poste a disparu, lui-même est vieilli, courbé et
mal rasé. Bref, l'encadrement nous met sur la piste d'un drame et
sert de tremplin au récit du maître de poste, tel que le rend son
interprète, en en suivant de près le ton et le contenu tout en équili-
brant deux plans d'interprétation. En ce qui concerne le plan à la
surface (la triste histoire de Dunja et la misère du postier) et le plan
"souterrain" (moins triste histoire de Dunja et misère encore plus
grande, quoique légèrement risible, du postier), je me rapporte à
mon exposé sur l'emploi des conventions littéraires. Rappelons
seulement ici qu'à la fin de l'encadrement l'auteur fait quelques
allusions à ces deux plans. Quant au plan "souterrain" : il y a
d'abord la tirade désespérée du père, humoristique en tant que
version vulgaire d'un thème sentimental, plus humoristique encore
en tant que signe de son attitude amoureuse qui se trahit et par le
ton et par le choix des mots. Il y a ensuite la comparaison du père
avec Terent'ič, personnage de "la belle ballade de Dmitriev". Il y a
enfin la réserve du narrateur à l'égard des larmes du vieillard
loquace. Mais en même temps se renforce l'impression que c'est le
sort pitoyable de Dunja qui est à redouter et à plaindre avant tout :
le narrateur-voyageur, quittant le maître de poste, nourrit les plus
sombres pensées sur ce qui attendra la pauvre fille. C'est ainsi qu'il
contribue à intensifier les allusions fallacieuses et à rendre inattendue
la péripétie engageante qui les disperse. Celle-ci s'effectue immédiate-

ment après dans la troisième étape de l'encadrement, la dernière
partie parallèle. Et c'est en même temps le dénouement de l'aventure
centrale qui s'ensuit. D'une part cette partie finale nous montre
comme la consécration du déclin, le relais étant supprimé, le vieux
maître de poste mort, un brasseur habitant la maison.[36] D'autre
part, il y a, malgré les suggestions précédentes de misère, certaines
rumeurs qui montrent Dunja bien portante, fortunée, chic, voya-
geant dans un carrosse à six chevaux, avec trois petits barins, une
nourrice et un petit chien noir. C'est à travers ces suggestions contraires que la phase finale de l'encadrement paraît s'écarter aussi
loin des notes noires de la deuxième phase qu'elle s'approche des
meilleures promesses de la coquetterie enfantine décrite à la fin de la
première phase. Dans ce cas aussi, le prélude et le dénouement sont
connexes par certains aspects qui les opposent à la partie centrale.
Le plan "souterrain" est mis en relief par le renversement du plan
à la surface: le destin malheureux de Dunja.

   Résumons: les trois situations parallèles rendent plus saillant le
relief psychologique par leurs fonctions ambiguës de support et
de sapement de chacun des deux plans. Elles renforcent l'aspect
anecdotique par les effets auxquels se prête facilement cet équilibre
fragile: les tournures abruptes et contrastantes, les fausses suggestions, la péripétie inattendue du dénouement. Elles ravivent l'aspect
badin par l'opposition de deux interprétations possibles, par les
fioritures légères dans la première partie dont on ne saurait dire si
elles préfigurent le bonheur ou le malheur et qui ensuite se révèlent
comme le prélude folâtre d'un mélange imprévu.

   Dans *Le marchand de cercueils* les éléments parallèles se rencontrent
dans les parties, consacrées à l'agonie et à la mort de madame
Trjuchina. Ils comprennent la fin de la partie introductoire, la
première moitié du rêve du héros et le cœur du dénouement. Au
début du récit, le marchand déplore que madame Trjuchina n'en
finisse pas de mourir et ne lui donne pas le moyen de se rattraper
après les pertes qu'il avait essuyées récemment. Il craint en outre
que les héritiers, en cas de décès, n'aillent négocier avec quelque

---

[36] Blagoj insiste sur le processus de dépérissement ("gradacija ugasanija"),
op. cit., p. 244.

autre entrepreneur. La première partie du rêve fait cas de ses démarches pour l'enterrement de madame Trjuchina: elle a fini par mourir et c'est à lui qu'il appartient de fournir les attributs funèbres. Le dénouement le montre heureux que tout ne fût qu'un rêve et que madame Trjuchina soit toujours en vie! Ce qui complique le triple parallélisme du récit, c'est le fait qu'il est indissolublement uni à une autre forme de parallélisme, celui à deux termes.[37] Le second terme de cette dernière forme va même enlever le coloris définitif de la fin de la nouvelle, c'est-à-dire qu'il donne la nuance propre au dernier terme des trois situations comparables. Ce second type de parallélisme comprend aussi le contraste le plus frappant qui normalement ressort aux trois situations parallèles. Nous parlons des deux fêtes: celle chez le cordonnier Schulz et celle chez le marchand de cercueils.

Commençons par les fêtes pour mettre en lumière l'enchevêtrement des deux formes de parallélisme et leurs effets unis. Les fêtes sont liées l'une à l'autre par des rapports psychologiques de cause à effet comme il en est des pensées sur madame Trjuchina mourante et le rêve qui s'ensuit. On sait que le marchand se considéra comme offensé par ses convives au festin du cordonnier, qu'il leur reproche de s'être moqués de son métier et qu'il veut se venger en donnant sans eux une soirée en l'honneur de ceux qu'ils avaient raillé: les morts. Ce projet d'ivrogne engendre en quelque sorte la deuxième partie de son rêve: le rassemblement des défunts à sa maison, se rendant à son invitation pour pendre avec lui la crémaillère. La terreur qui l'assaille quand il est l'hôte de cette compagnie macabre, nous fait comprendre la joie qu'il éprouve ensuite, quand il s'aperçoit peu à peu que madame Trjuchina vit encore et que, par conséquent, toutes les diableries n'étaient qu'un rêve. Ce passage au soulagement confère donc au dernier élément parallèle des trois situations ressemblantes une nuance nouvelle; encore donne-t-il un autre sens à l'opposition entre le premier et le troi-

---

[37] On pourrait considérer la construction comme faite d'une série d'oppositions: le réel et le chimérique, la vie et la mort, la morosité et l'hilarité. Ensuite on pourrait accuser l'enchevêtrement paradoxal de ces éléments: la mort dans la vie, la vie dans la mort, le chimérique dans le réel, le réel dans le chimérique. Vinogradov donne des aperçues suggestifs pour une telle façon de voir la structure, cf. "O stile Puškina", *op. cit.*, pp. 180, 183.

sième élément parallèle: cette opposition entre le début et la fin,
le regret et la joie, se réduit à un faux contraste. Nous nous référons
à notre analyse du jeu avec les conventions, où nous avons expliqué
que toute la partie finale confirme le retour à la vie routinière comme
s'il n'était arrivé rien.

Les deux formes de parallélisme se joignent l'une à l'autre pour
exprimer avec beaucoup d'humour un fond psychique comparable.
On pourrait le qualifier avec un peu de présomption d'esprit mer-
cantiliste. Les motifs concernant l'agonie et la mort de madame
Trjuchina font ressortir les espérances de gain du marchand. La
dernière fois ce trait est mis en relief de façon ironique comme nous
venons de l'exposer. Mais c'est surtout à travers les deux fêtes et
les deux parties du rêve que ce phénomène psychique est nuancé de
façon hilarante. Les noces d'argent chez Gottlieb Schulz battent
leur plein quand les invités se mettent à porter un toast à la santé
"unserer Kundleute" et vont même jusqu'à saluer les macchabées
du marchand. La fête en l'honneur des "morts orthodoxes" atteint
son point culminant (et sa fin subite) quand le petit squelette Petr
Petrovič Kurilkin se recommande au marchand de cercueils comme
son premier client. Les deux parties du rêve ressortissent aux
différents types de parallélisme. Mais elles sont aussi reliées l'une à
l'autre par des rapports qui amplifient le mercantilisme du marchand. La première partie du rêve lui confère une nuance sordide:
les négociations du fossoyeur avec l'héritier sentent l'escroquerie.
Il ne vaut pas mieux que les commerçants devant la porte de la
défunte, qui "s'attroupaient comme des corbeaux attirés par le
cadavre". La seconde partie du rêve, amusante en tant que contraste
par rapport à la fête chez le cordonnier, n'est pas moins engageante
par ce qu'elle suggère de manière raffinée les gains sordides du
fossoyeur. Nous nous référons une fois de plus à la partie sur les
conventions littéraires où nous avons interprété la terreur du marchand quand il aperçoit les fantômes, comme un symbole de ses
scrupules refoulés de petit escroc. Ajoutons que c'est à la lumière du
démasqué de ses manœuvres frauduleuses dans la première partie
que ce symbolisme s'impose dès les premiers symptômes de sa
terreur. Sans ce démasqué on pourrait être porté à croire que les
morts vivants symboliseraient à travers le gai paradoxe de leurs airs

chaleureux, les pauvre notions que le marchand s'était formés au long de sa vie morose: son esprit de classe et son opinion que les gageures, comme la vente du sapin pour du chêne, sont bien en règle. Ces suggestions secondaires continuent d'ailleurs à se faire entendre et c'est dans elles que la badinerie sophistiquée atteint son plus haut point.

Résumons: les trois parties analogues n'ont leur effet que conjointement avec les deux autres situations parallèles, et inversément. Ainsi le dénouement acquiert sa nuance définitive à la lumière de la partie macabre du rêve. Cette partie ne montre sa valeur symbolique définitive qu'à la lumière de la première partie du rêve avec, au centre, le marchand escroc.

Le relief psychologique comprend les scrupules refoulés du marchand et leur évaporation subite lors de la disparition des fantômes.

Le sel anecdotique et le sel de l'humour sont dans les contrastes et dans les paradoxes badins: l'opposition des deux fêtes et l'aspect paradoxal du macabre. Ajoutons que la disposition des cinq situations montre les changements rapides de la nouvelle anecdotique. A la fin de ces parties suit le plus souvent une modification subite du développement thématique: ainsi on passe brusquement à la visite du cordonnier, à la mort de madame Trjuchina, au festin des morts, au retour à la réalité.

Disons encore deux mots d'un dernier aspect qu'ont en commun les cinq récits: les parties vulgaires.

L'emploi du langage populaire a pour fonction dominante de raviver l'aspect badin. A cet effet contribuent déjà les formes spécifiques de ce langage: les bons mots, les dictons ou les proverbes. Ensuite il y a les fonctions hilarantes de variation comique d'un motif et d'argumentation à défaut d'arguments. Les fonctions de complication psychologique et anecdotique ne font le plus souvent que rendre plus intense l'effet primordial du comique.

Dans *Le coup de pistolet* les conversations dans le salon du comte tournent au vulgaire: les prétendus bons mots et anecdotes l'emportent. Parallèlement se poursuit le retardement du cours principal des événements, en même temps que la variation des motifs du tir. Pour un exposé plus étendu des diverses fonctions et de leurs effets amusants, nous nous référons à notre article sur le premier récit du recueil de nouvelles.

Dans *La tempête de neige* le langage vulgaire se glisse dans la partie où il s'agit de la manière dont Vladimir s'égare dans la nuit. Les paroles échangées avec le vieux paysan, les questions répétées sur le ton ébahi du vieillard opposé au ton impatient de Vladimir, sont autant de moments comiques qui empêchent le jeune homme d'atteindre son but. A ce point de vue, cette conversation hilarante fait partie de la série d'obstacles qu'il rencontre en route: "— Que veux-tu?" "— Est-ce que Žadrino est loin?" "— Si Žadrino est loin?" "— Oui, oui, est-ce loin?", etc.

Plus loin dans la nouvelle on trouve des traces d'une conversation, modelée sur des expressions proverbiales. Le narrateur rapporte d'abord les raisons des parents de Maša pour consentir enfin au mariage avec Vladimir, ensuite il démasque la fonction badine de leur recours aux sagesses du peuple: ils décident que *nul n'évite celui que la destinée nous envoie*, que *pauvreté n'est pas vice*, que *ce n'est pas la richesse qui fait la bonheur, mais bien de vivre avec celui qu'on aime*, et ainsi de suite, dit le narrateur lui-même. Il ajoute: "Les proverbes sont particulièrement utiles dans le cas où, de nous-mêmes, nous ne trouvons pas grand-chose pour nous justifier". On est conscient de la double ironie que contiennent certaines tournures. La phrase "nul n'évite celui que la destinée nous envoie" fait allusion au mariage prochain avec Vladimir mais désigne fatalement en même temps le mariage secret avec Burmin.

Dans *Le marchand de cercueils* ce sont les conversations vulgaires entre Schulz et Prochorov qui montrent plusieurs des procédés susmentionnés. Variation comique du motif de petit commerce; modelage des répliques sur des bons mots où l'auteur joue avec le paradoxe de morts vivants.

"— Et comment vont les affaires de Votre Seigneurie? demanda Adrian.

— Eh! Eh! couci-couça, répondit Schulz. — Ja n'ai du reste pas à me plaindre; encore que ma marchandise diffère en ceci de la vôtre : qu'un vivant peut bien se passer de bottes, mais qu'un mort ne peut pas vivre sans cercueil !

— Ça c'est vrai ! dit Adrian. — Un vivant qui n'a pas de quoi se payer des bottes peut bien, ne vous déplaise, aller pieds nus ; mais le plus gueux des morts aura son cercueil, qu'il le paye ou non. "

Parmi les moments vulgaires du *Maître de poste* il y a la tirade du postier qui appelle l'attention du lecteur sur le triste sort de Dunja, et cela d'autant plus que les vulgarismes nous frappent davantage. En traitant le jeu avec les thèmes conventionnels nous avons allégué ce passage en insistant sur le contraste badin avec la façon délicate dont les auteurs sentimentaux rendent un thème pareil. C'est alors que nous avons dit également que le patois nous met sur une fausse piste et ajoute ainsi aux qualités anecdotiques de la nouvelle.

Considérons encore comment cette fausse route avec ses méprises et surprises à la fin, nous ramène à ce même passage et le fait retentir des féroces intonations d'un amant refusé : "Elles sont nombreuses à Petersbourg, les jeunes sottes, parées aujourd'hui de soie et de velours, qui demain balaieront les rues en compagnie des pires gueux", etc. Ce passage emphatique, on pourrait le rapprocher du moment où le postier, tout épris de sa fille la regarde : "parée avec tout l'éclat de la mode, [elle] se tenait posée sur le bras du fauteuil, telle une écuyère sur une selle anglaise ... Jamais sa fille ne lui avait paru si belle : il ne pouvait s'empêcher de l'admirer". Le rapprochement de ces deux passages fait ressortir en quelque sorte les réactions différentes provoquées par un même fait (le sort de Dunja) : d'une part l'attitude d'un amant refusé mais espérant encore (Dunja plus belle que jamais), d'autre part l'attitude d'un amant sans espoir (Dunja réduite au plan des jeunes sottes). Voir procéder ainsi le narrateur en psychologue, c'est faire une découverte de badinerie subtile. La subtilité l'emporte dans la partie où les seules paroles du postier donnent les suggestions voulues.

Il y a la scène où se parlent le vieillard et le séducteur. Ils expriment la quintessence de leurs propos par un proverbe. Dans ce cas aussi, les dictons prouvent leur utilité quand on ne trouve pas grand-chose pour se justifier. Ce qui ajoute une nuance désopilante à la conversation, c'est le fait que les proverbes sont des synonymes de sorte que le séducteur paraisse confirmer les tristes préjugés de son interlocuteur: "— Votre Noblesse, reprit le vieillard, ce qui est perdu du chariot, est perdu ... — Ce qui est fait ne peut être changé, dit le jeune homme".

La demoiselle-paysanne se sert du patois pour ressembler davantage aux héroïnes sentimentales. Nous avons parlé de cette amusante méprise qui l'amène à prendre le contresens de ce qu'elle veut imiter. Il suffit de parler ici rapidement d'autres passages en patois. L'usage de la langue vulgaire est le plus prononcé dans la partie consacrée aux exploits de Nast'ja. Dans son récit du dîner chez la femme du cuisinier des Berestov, elle ne fait que remâcher les noms des hôtes: "— Il y avait celles de Kolbino, celles de Zachar'ego, la femme de l'intendant à la place d'honneur, moi à côté d'elle ... même que ses filles firent la tête: mais moi je crache sur elles ..." Ce récit circonstancié retarde les informations auxquelles seules s'intéresse sa maîtresse c'est-à-dire tout ce qui concerne le jeune voisin. Quand enfin Nast'ja aborde le jeune homme, elle ne se lasse de répéter comment il court après les filles, et ce sont alors les mêmes noms qui apparaissent:[38] "— ... il a bien fait attention à moi; et à Tanja; et à la fille de l'intendant aussi; et à Paša de Kolbino encore; ce serait péché de dire qu'il en ait oublié une, le polisson!"[39] Aux effets badins de retardement et de variation thématique, se joint la complication du thème et notamment le fait que le jeune voisin si sombre et désenchanté se transforme en galant assidu aussitôt qu'il a affaire aux jeunes filles du peuple.

Nous en sommes venus enfin à la conclusion de notre examen de trois principes de construction, tels qu'ils sont appliqués dans les récits de Belkin.

Essayons de résumer l'essentiel de leurs effets psychologiques, anecdotiques et humoristiques. Considérons pour chaque principe les trois types d'effet et commençons par le jeu avec les conventions littéraires.

---

[38]   Vinogradov a remarqué que les procédés narratifs de Nast'ja ressemblent à ceux, employés par les narrateurs du jeune Gogol', "Stil' Puškina", *op. cit.*, p. 556.
[39]   Nous avons cité ici et partout ailleurs la traduction par André Gide et Jaques Schiffrin: Pouchkine, *La Dame de Piques et autres récits* (Paris, 1965).

Ce jeu sert à modeler le portrait des personnages sur un schéma littéraire. Ils posent le plus souvent en héros à la Byron ou en héroïne à la Karamzin. L'approfondissement psychologique commence au moment où les poses ne sont plus impeccables, où elles prennent le contresens de leur modèle, où elles accumulent plusieurs modèles et détails conventionnels, où elles mêlent aux faits qui sentent la littérature des éléments "dissonants" qui n'appartiennent point à ce domaine. Ces poses défectueuses répondent aux objectifs spécifiques que poursuivent les personnages. On pourrait en distinguer plusieurs formes dont parfois une combinaison est applicable à un même personnage: la pose destinée à se cacher, pour dissimuler quelque secret moral ou psychologique (Sil'vio dans *Le coup de pistolet*); la pose pour impressionner les jeunes filles (Aleksej Berestov dans *La demoiselle-paysanne*); la pose pour rendre piquants ou pour provoquer les plaisirs d'amour (Liza Muromskaja dans *La demoiselle-paysanne*, Mar'ja Gavrilovna R., Vladimir Nikolaevič et Burmin dans *La tempête de neige*); la pose pour mettre son amant à l'épreuve (Liza Muromskaja); la pose pour se jouer de la personne aimée (Mar'ja Gavrilovna R. et Burmin).

Parfois il n'est pas question d'une pose: les circonstances forcent un personnage à des comportements, qui frappent comme les réminiscences d'un schéma littéraire dont lui-même ne semble pas conscient (Aleksej Bérestov du moment qu'il se laisse captiver par la pose sentimentale de Liza Muromskaja). Les poses ou les attitudes, issues des conventions, ne sont d'ailleurs pas les seuls cas où des données de la tradition littéraire servent à caractériser. L'emploi paradoxal du macabre symbolise les scrupules refoulés d'escroc du héros du *Marchand de cercueils*. Dans cette même nouvelle, la critique d'un principe littéraire doit servir de prétexte pour insister sur un trait psychologique. Des allusions du narrateur à certains personnages littéraires renforcent ou compliquent les suggestions psychologiques (la référence à Terent'ič renforce la suggestion de père amoureux dans *Le maître de poste*, la référence à Skotinin complique l'attitude sentimental à rebours d'Aleksej Berestov). Assez compliqués sont les effets psychologiques, produits par les thèmes conventionnels dans la première nouvelle: un schéma biblique et un autre, lui sentimental, provoqués par le narrateur aussi

bien que par le héros, servent à dissimuler derrière l'attitude d'un
père soucieux du sort de sa fille l'attitude inconsciente d'un père
amoureux de celle-ci.

La convention littéraire rend plus singulier l'événement anecdotique proprement dit. Ce jeu fait naître les fausses allusions, les
mystères, les ambiguïtés, les contradictions, les péripéties, les
pseudo-conflits. Il renforce ou complique les secrets, les quiproquos,
les dénouements surprenants.

L'emploi des schémas conventionnels met parfois le lecteur sur
une fausse piste. Il en résulte des orientations fallacieuses et par
conséquent des péripéties plus ou moins fortes lors de leur démasqué. On en rencontre les meilleurs exemples dans les récits *Le coup
de pistolet* et *Le maître de poste*. Les allusions fausses ont leur
effets de mystère, d'ambiguïté et de contradiction, ce qui se fait
sentir surtout dans la première nouvelle.

Le secret au centre du récit s'impose plus nécessairement grâce à
plusieurs développements conventionnels, dont on sait qu'ils
émanent en quelque sorte de ce secret. Ainsi, dans *La tempête de
neige*, ce sont le départ de Vladimir pour la guerre, les attaques de
fièvre chaude qui secoussent la héroïne, la fidélité à son amant
tombé au champ d'honneur. Le quiproquo qui commande la fin de
ce récit, est compliqué par le rôle sentimental auquel chacun des
partenaires s'attend chez l'autre.

Dans *La demoiselle-paysanne* le quiproquo est dû au travestissement en héroïne sentimentale de la jeune voisine du héros. Ce
travestissement, ainsi que le quiproquo fondé sur lui, sont mis en
danger par le fait que parfois la soi-disant simple campagnarde en
sortant de son rôle, en prend le contresens. Un autre danger de
démasqué au milieu de la nouvelle réside dans le renversement de la
situation à la Shakespeare et à la Scott par laquelle débute le récit.
Ce renversement fait naître des pseudo-conflits.

Dans la nouvelle *Le marchand de cercueils*, l'événement singulier
est rendu plus singulier encore par l'emploi non conventionnel des
conventions du macabre et du caractéristique.

Les surprises finales de toutes les nouvelles sont rendues plus
surprenantes par le fait que de façon marquée, elles vont au rebours
des dénouements qui sont en règle quand il s'agit de schémas

conventionnels. Parfois aussi, le passage à une nouvelle partie est mis en relief par son caractère qui va à l'encontre d'un type conventionnel de transition.

Les développements qui prennent le contresens de quelque schéma conventionnel peuvent nous surprendre aussi par des effets de contradiction à l'intérieur des récits. Les mêmes effets surgissent quand il y a accumulation de rôles littéraires, enchevêtrement de faits conventionnels et de faits qui ne font pas partie de la convention.

Des nuances badines accompagnent presque toujours l'emploi de schémas et éléments conventionnels, qu'ils servent aux buts anecdotiques ou psychologiques. Badins sont les portraits psychologiques avec leurs amoncellements cocasses d'éléments en déçà et au-delà de la convention. Badines les affectations et poses des personnages imitant certains modèles littéraires. Badines surtout les imitations à rebours. Badin enfin tout l'appareil anecdotique: allusions fallacieuses, secrets, quiproquos, etc.

En outre il y a les effets spéciaux de badinerie, conséquence de l'attitude du narrateur: il est badin par sa réserve à l'égard de certains modes littéraires, par les tournures qui expriment son ironie, par l'emploi de clichés et de pastiches, par le mélange de différents styles, bref par tout ce qui lui sert à démasquer subtilement ses peronnages.

Le triple parallélisme accuse le relief psychologique, y ajoute parfois de nouvelles nuances. Les trois situations dans *Le coup de pistolet* mettent en comparaison les comportements et arguments du héros, montrent à travers leurs contradictions l'élément constant du refus de tirer et symbolisent cette "constante" comme vestige de son moral caché ou plutôt masqué.

L'emploi symbolique des constantes comme moyen d'approfondissement psychologique marque aussi le parallélisme de *La tempête de neige*. La tourmente comme symbole littéraire du destin sert aux personnages pour rendre plus piquante une passion, pour disculper une "légèreté impardonnable", pour faire une conquête en excluant en même temps tout espoir de mariage.

Les trois situations parallèles du travestissement comme manœuvres de séduction ont les effets connus de relief psychologique.

L'accoutrement et le déguisement en paysanne montrent et l'esprit de provocation légère et le penchant égotiste de mettre l'amant à l'épreuve, et le désir pur d'être aimé par lui pour soi-même. Dans *Le maître de poste* les trois situations donnent comme la gradation subtile de suggestions quant à la vraie attitude émotionnelle du vieux père vis-à-vis de sa fille fugitive. Les parties parallèles dans *Le marchand de cercueils* accusent, conjointement avec une autre forme de parallélisme, l'esprit du marchand. Deux parties de ces formes jointes de parallélisme, confèrent en outre une nuance marquée de sordidité à son négoce.

La disposition des trois parties parallèles intensifie l'élément de la surprise anecdotique. Ce sont les transitions surprenantes qui y contribuent: presque toutes ces parties montrent des passages abruptes aux différents plans thématiques. Souvent ces passages nous frappent plus encore par les effets de suspension (*Le coup de pistolet*, *La tempête de neige*, *La demoiselle-paysanne*). D'autres facteurs de surprise sont les rapports d'analogie entre la première partie et la dernière, souvent en contraste avec la situation centrale. Cette situation centrale est encore un facteur de surprise anecdotique puisqu'elle constitue la partie au contraste le plus fort dans la plupart des nouvelles. Elle doit ce caractère contrastant à son opposition aux scènes de travestissement simple (*La demoiselle-paysanne*), à l'aspect banal comparé avec l'aspect symbolique d'un homme en proie à une tempête de neige, à la vie heureuse en face d'une vie ruinée (*Le maître de poste*). Dans *Le coup de pistolet* c'est la troisième partie parallèle qui doit son caractère contrastant à la répétition de motifs dramatiques dans une situation renversée. Dans *Le marchand de cercueils* c'est le festin en l'honneur des morts qui parallèlement aux noces d'argent, montre le contraste le plus prononcé.

Le relief badin devient plus suggestif par le parallélisme. Badin est dans une des situations de *La tempête de neige* le rôle symbolique de puissance morale et — dans une autre — celui de force maléfique que les personnages attribuent à la tourmente. Badine aussi est la coopération paradoxale de ces forces dans les trois situations parallèles où elles s'unissent pour perdre deux hommes et une jeune fille. C'est dans une atmosphère légère que baigne la première situa-

tion parallèle du récit *Le maître de poste*. Et cet aspect de légèreté
se rattache à la dernière partie parallèle. Ce rapport renforce les
suggestions d'ironie fine pour les mobiles poussant le vieux postier
à plaindre et à rechercher sa fille. Une des trois parallèles s'impose
parfois par son aspect forcément hilarant : la deuxième situation
concernant les pérégrinations de Vladimir dans *La tempête de
neige*, la situation du travestissement ridicule et bizarre dans *La
demoiselle-paysanne*, la fête en l'honneur des morts dans *Le marchand de cercueils*. Un accompagnement humoristique se fait sentir
souvent aussi dans les transitions subites qui tranchent telle scène
de douceur coquette (la fin de la première parallèle dans *Le maître de
poste*), ou qui nous laissent dans l'incertitude quant aux consé-
quences d'un accident pitoyable (la fin de la deuxième parallèle dans
La tempête de neige), ou bien encore, qui font s'évaporer ces hor-
reurs si horribles qui viennent de se produire (le passage du macabre
à la réalité dans *Le marchand de cercueils*).

Le relief badin domine dans les parties aux locutions populaires.
Amusante est la variation d'un motif à travers des bons mots vulgaires (le tir dans *Le coup de pistolet*, le mercantilisme dans *Le
marchand de cercueils*), à travers d'autres tournures, en patois (la
question "Si Žadrino est loin" dans *La tempête de neige*, les noms
de famille et les amours du barine dans *La demoiselle-paysanne*).
Amusant aussi le recours aux dictons et proverbes quand les bons
arguments font défaut (les raisons de consentir au mariage de Maša
dans *La tempête de neige*, les motifs pour et contre la prolongation
d'un amour dans *Le maître de poste*). Parfois, tout en restant un
élément désopilant, le patois sert avant tout à faire prendre aux
événements un tour anecdotique. C'est par exemple le cas de *La
demoiselle-paysanne* où le patois met en péril la pose littéraire et,
par conséquent, le quiproquo voulu. Il en est de même pour la
saillie du maître de poste dont les vulgarismes savoureux peignent
la perte de sa fille et renforcent les allusions fausses. Le relief psychologique se joint parfois à l'élément badin et le rend plus intense :
pensons au mercantilisme, au démasqué des amours du barine, qui
dans le salon pose en héros désenchanté. Pensons encore à la saillie
du maître de poste, badine d'abord comme expression vulgaire d'un

sort pitoyable que les nouvelles sentimentales expriment par un langage sonore et exquis, touchante ensuite comme expression de sa misère, badine davantage encore comme signe de son humeur chagrine de vieux père abandonné.

JAN VAN DER ENG

Le coup de pistolet
Analyse de la composition*

Récit digressif et rapide, ouvrage léger et profond, nouvelle claire
et complexe — telles sont les impressions qui s'imposent à la lecture
du *Coup de pistolet*. Un de ses aspects les plus intrigants est l'attitude de l'auteur envers son récit, ce qu'on a appelé "la situation
narrative".[1] On sait que l'auteur se pose en éditeur des contes d'un
certain Belkin. En outre, il ressort d'une note de l'éditeur que
Belkin est l'adaptateur des récits qui lui étaient racontés par diverses
personnes. Ainsi, le narrateur proprement dit de la nouvelle est
le colonel I.L.P. La situation se complique davantage par le fait que
I.L.P. joue un rôle dans les événements mêmes de la nouvelle et
qu'il se fait raconter l'aventure centrale par les deux antagonistes
lors de ses rencontres avec eux. Il en résulte un récit à tiroirs d'une
structure assez originale ou assez bizarre, comme vous voudrez.
Contrairement aux conventions, les deux parties encadrées sont
plus courtes que leur encadrement. Une autre licence est constituée

---

* Pour les citations de la nouvelle de Puškin, nous avons utilisé la traduction
par André Gide et Jaques Schiffrin: Puškin, *La Dame de Pique et autres récits*
(Paris, s.a.).
[1] F. Stanzel, *Die typischen Erzählsituationen im Roman* (Wien-Stuttgart, 1955),
p. 5.

par le fait que les trois narrateurs, au lieu d'apporter chacun son histoire différente, suivent tour à tour le fil d'une série d'événements autour du héros Sil'vio. Il n'est que dans l'encadrement, au début du deuxième chapitre, que le narrateur s'écarte presque totalement de lui pour se complaire dans ses propres expériences à la campagne. Mais l'encadrement du premier chapitre sert de prélude à l'événement central. Et les deux antagonistes-narrateurs font avancer cette aventure principale. Ce qui ajoute largement à la complexité narrative, c'est que les trois narrateurs ne sont guère dignes de confiance. Ils s'accordent mal dans leur jugement à l'égard de Sil'vio. Une complication de plus est le fait que les narrateurs sont plus ou moins divisés contre eux-mêmes: une tension se fait jour entre le passé qu'ils racontent et le présent de leur récit, d'où résulte une attitude de réserve et d'étonnement vis-à-vis des faits racontés. On comprendra que cette situation narrative offre beaucoup de possibilités pour une composition raffinée. Elle permet à l'auteur de faire agir Sil'vio sur trois plans, de créer un entrelacement de rapports entre ces plans d'action, d'opposer les différents types de narrateurs. Elle est concomitante avec de nombreux procédés visant à maintenir l'interêt: des procédés ayant pour fonction de créer des effets de contrastes, de variations, de symboles, d'ambiguités, de suspensions, d'emphases, de brusques changements de thèmes, d'orientations fallacieuses.

Si la nouvelle de Puškin est d'une structure très complexe, elle est en même temps d'une structure très claire. Elle a tous les aspects qu'on considère comme essentiels à la nouvelle brève. Elle remplit les conditions requises pour un bon début: l'illusion d'un temps et d'un milieu social reconnaissables, l'entraînement direct dans le cœur du récit. L'unité d'effet s'impose; elle réside dans la question: pourquoi plusieurs fois de suite, Sil'vio refuse-t-il de décharger son pistolet? Cette question montre que la nouvelle, conformément aux conventions, a été construite sur une énigme et sur beaucoup d'erreurs (les réponses provisoires à cette énigme). Jusq'au bout l'énigme et les erreurs garderont dans l'intrigue leur rôle moteur.

Au milieu de l'action principale se produit l'obligatoire revirement central. La surprise finale est faite avec beaucoup de soin. Il vaudrait peut-être mieux parler des surprises finales: à savoir le point culminant de l'intrigue près de la fin, le dénouement inattendu et pour finir, une série de moments saillants, qui tous donnent du relief à l'effet unique. La nouvelle bien construite requiert un motif concret qu'on trouve et retrouve en tous lieux et à tous moments, et qui donne au récit sa netteté de contour. Ce motif doit être riche en possibilités psychologiques et symboliques. Dans la nouvelle de Pouchkine un tel motif est le tir. L'impression d'une structure claire et d'un récit rapide est renforcée par le langage.[2] Puškin se sert de principes d'expression qui confèrent de l'unité au style des narrateurs. On pourrait s'attendre à trois couches de narration et à certaines tournures qui feraient entrevoir l'empreinte de l'adaptateur Belkin, de l'éditeur et de la source I.L.P. On ne trouve cependant trace, ni de l'éditeur, ni de I.L.P. Quant à l'adaptateur, on serait porté à supposer que son empreinte se fasse sentir par le fait que les trois personnages, parlant à la première personne, nous surprennent plutôt par les éléments de style qui les unissent que par ceux qui les distinguent. Ce qu'ils ont en commun, c'est le laconisme, la concision et la rapidité du style: un langage fougueux et merveilleusement adapté aux actions turbulentes autour de Sil'vio. Ce style mouvementé a pour base syntaxique et sémantique l'usage du parfait dans les locutions verbales. Parallèlement, les tournures nominales sont fort réduites dans la succession rapide des arrangements verbaux. L'auteur a évité surtout les formes qui d'ordinaire, servent à embellir le récit (les métaphores, les comparaisons, les périphrases, etc.). Ainsi, les narrateurs économisent les attributs et leur confèrent un sens logique: un mot suffit le plus souvent pour l'exprimer.

En outre, il y a une tendance nette aux courtes propositions indépendantes, juxtaposées. Si plusieurs propositions constituent une unité, les termes sont mis en rapport par des conjonctions de coordination. Ces conjonctions expriment dans bien des cas un moment consécutif qui suit avec soudaineté. Plus d'une fois elles mettent en rapport deux termes qui s'accordent mal, s'opposent

[2] Sur le style des récits de Belkin, cf. V. V. Vinogradov, Stil' Puškina (Moskva, 1941), pp. 536-582; S. I. Abakumov, "Iz nabljudenij nad jazykom Povestej Belkina", dans Stil' i jazyk A. S. Puškina, 1837-1937. Pod red. K. A. Alaverdova (Moskva, 1937), pp. 66-89; A. V. Čičerin, "Spornye voprosy stilja puškinskoj prozy", dans Voprosy russkoj literatury. Vyp. 1 (1966), pp. 7-13.

plus ou moins. C'est là un moyen de dire beaucoup en peu de mots, de raconter entre les lignes.

Si nous négligeons pour le moment les parties de l'encadrement qui s'écartent de l'aventure centrale, les différences de langage entre les narrateurs se réduisent aux degrés d'émotivité. La progression sémantique se fait plus turbulente dans le récit de Sil'vio et, par des scènes répetées d'une tension croissante, elle finit par atteindre son apogée dans l'histoire du comte.

Cette gradation s'effectue avec des moyens de syntaxe et de vocabulaire sans empiéter sur les principes de langage que je viens de mentionner.

On ne saurait nier que, somme toute, la trame du récit est assez sinueuse. Un seul narrateur, se plaçant sous un angle synoptique et ne visant que le sujet central, supprimerait peut-être bien des observations faites par le narrateur de l'encadrement et couperait court aux récits des deux antagonistes. Il n'en est pas moins vrai que le cours de la nouvelle ne s'attarde pas trop aux détails supplémentaires, apportés nécessairement par les trois narrateurs différents. C'est en quelque sorte l'impétuosité d'un premier mouvement qu'ont donné à leur récit les trois narrateurs avec leurs thèmes personnels et leurs points de vue limités.

Et le lecteur se laisse entraîner et ne se rend pas toujours compte des détours. Le conflit pendant le jeu de cartes avec tout son amalgame de réactions dans le milieu militaire, constitue en réalité un long préambule avant d'en venir au fait. Ce conflit a pourtant l'air de devenir l'aventure centrale. Il est composé des mêmes ingrédients de suspension et d'un rapide va-et-vient d'action et de contre-action, et ce n'est qu'après coup qu'il paraît ne conduire nulle part. Cette découverte est accompagnée de questions et de suppositions si intrigantes que le lecteur oublie vite la tromperie. Et par la suite il appréciera ce fragment en fonction des développements ultérieurs qui l'ont conditionné. Il le considérera comme un maillon dans l'enchaînement mouvementé de la nouvelle, comme un prélude aux actions futures racontées dans le récit de Sil'vio et celui du comte. Mais il y a aussi les digressions du narrateur I.L.P. qui nous éloignent du thème central du récit et qui sont à apprécier justement par leurs effets de retardement, par leur caractère comparativement prolixe. Un tel fragment est le début du deuxième chapitre où la vie à la campagne appelle l'attention.

La question dès lors est de savoir comment Puškin réussit à intriguer le lecteur par le ralenti de ces entrecoupements. Disons provisoirement que ces digressions fonctionnent comme un interlude, plein d'humour, survenant au moment même où le lecteur éprouve une sorte d'ahurissement dû au cours sinistre qu'ont pris les événements. Et c'est avec agrément qu'il se laisse captiver par les variations et contrastes badins qui se jouent des thèmes terribles et en sapent l'aspect sérieux. Des nuances légères colorent d'ailleurs aussi l'encadrement du chapitre précédent ainsi que le récit de Sil'vio et celui du comte. On dirait que la grimace de l'auteur apparaît derrière leur masque narratif: derrière la naïveté romanesque du narrateur des parties encadrantes, derrière les tricheries et le goût des beaux effets de Sil'vio, derrière l'objectivité etonnée du comte, derrière les contradictions mutuelles chez les trois narrateurs, etc.

La légèreté de la nouvelle n'exclut pas la profondeur. Par profondeur j'entends ici qu'aucun des narrateurs n'explique à fond la personnalité de Sil'vio et qu'ensemble ils sont encore plus éloignés du fond de son être. La suggestion subsiste qu'il est davantage: plus humain, si vous voulez, que ne disent les mots, que ne le montre son comportement, que ne le fait entrevoir le symbolisme du récit. En ce sens, l'épilogue donne la suggestion la plus pénétrante.

Avant d'aborder l'analyse du récit, nous voudrions signaler les principales divergences d'interprétation à son sujet. Il est à remarquer que pour de nombreux critiques la question de la véritable personnalité de Sil'vio, et par conséquent la signification de l'épilogue, constitue le point de repère d'où partent les opinions souvent opposées. Passant brièvement en revue les contes de Belkin, Boris Èjxenbaum considère la personnalité de Sil'vio comme secondaire.[3] Ce qui compte pour lui dans le *Coup de pistolet*, c'est la façon

---

[3] B. M. Èjxenbaum, "Problemy poétiki Puškina", dans *Skvoz' literaturu* (Leningrad, 1924; Photomechanic reprint: 's-Gravenhage, 1962), p. 166. Cf. du même auteur "Boldinskie pobasenki Puškina", dans *Žizn' iskusstva. Ežednevnaja gazeta* (1919), No. 316-318.

compliquée de raconter une simple anecdote. Les narrateurs différents, les digressions, les encombrements de l'action principale
constituent l'interêt du récit. Le héros est sans visage. Il n'est qu'un
élément neutre à utiliser chaque fois qu'il faut sortir des digressions
pour reprendre le fil de l'aventure centrale. L'épilogue montre avec
quelle négligence il est traité par l'auteur: nonchalant, celui-ci se
rapporte à une rumeur vague qui nous met au courant de la mort
accidentelle de Sil'vio.

Sans vouloir nier l'ingéniosité de la construction du récit et tout
en insistant même, comme Èjxenbaum, sur la marche sinueuse de la
fable, Petrovskij s'élève contre la dépréciation du héros.[4] Il estime
que la caractérisation de Sil'vio est de première importance. S'il est
vrai que l'aventure est engageante par tout ce qui en retarde et
encombre le cours, elle l'est encore davantage par tous les faits qui
mettent en relief la nature mystérieuse du héros au point de la rendre
toujours plus profonde, conformément à l'intention artistique de
l'auteur. L'épilogue détermine en définitive ce destin mystérieux:
le héros quitte la scène comme il y est entré: en inconnu.

Beaucoup de chercheurs s'occupent de la personnalité de Sil'vio
sans trop se soucier des questions de construction: la facture capri-
cieuse de la fable n'entre pas en considération quand il s'agit de
mettre en relief la portée psychologique des actes de Sil'vio. Ces
interprétations sont d'ailleurs loins d'être concordantes. Les savants
soviétiques Blagoj, Stepanov et d'autres considèrent Sil'vio comme
un homme de haute moralité, un homme qui maîtrise son désir de
vengeance, fait grâce de la vie à son adversaire et meurt en héros
dans une bataille d'indépendance.[5]

Ils le rangent du côté de l'humanité progressiste. Parallèlement,
le rôle du comte est apprécié de façon négative. Il est à blâmer en
raison de son état embourgeoisé. Il essuie un échec moral par sa
crainte, son trouble, son effort de tirer sur Sil'vio. En revanche, le
savant soviétique A. Slonimskij juge défavorablement de Sil'vio et
déprécie le combat avec le comte.[6] D'après ce commentateur, le

[4] M. Petrovskij, "Morfologija puškinskogo *Vystrela*", dans *Problemy poètiki. Sbornik statej*, Red. V. Ja. Brjusova (Moskva-Leningrad, 1925), pp. 197-203.
[5] D. Blagoj, *Masterstvo Puškina*. (Moskva, 1955), pp. 237-239; N. L. Stepanov, *Proza Puškina* (Moskva, 1962), pp. 193-194.
[6] A. Slonimskij, *Masterstvo Puškina*. Izd. 2e, ispr. (Moskva, 1963), p. 511.

héros se révèle alors comme rongé d'une ambition vaine, qui l'amène à frapper de terreur la comtesse en visant son mari devant elle. Les soi-disant mystères de Sil'vio ne peuvent impressionner que le narrateur romanesque (et Petrovskij pourrait-on ajouter). A l'avis de Slonimskij, ces mystères sont assez décevants: en somme, Sil'vio est d'un type aussi commun que le narrateur, sauf qu'il est plus habile au tir. Slonismkij admet — comme à contre-cœur — qu'à la fin, pendant la rébellion des Grecs, le héros trouve un but plus noble à ses ambitions. Mais le critique accentue l'aspect vague du final où le narrateur se réfère à certains bruits et propos qui avaient couru sur la mort de Sil'vio. Il disparaît dans un brouillard, dit Slonimskij, et l'on entend comme un écho des mots de Èjxenbaum, qui insistait sur la nonchalance avec laquelle la mort de Sil'vio est communiquée dans l'épilogue.

L'étude de Slonimskij se rapproche plus ou moins des analyses récentes de l'ouest. Ulrich Busch estime que la résolution de Sil'vio de ne pas tirer n'a rien à faire avec une attitude magnanime mais n'est nullement étranger à l'assouvissement d'un désir frénétique de vengeance.[7] C'est ainsi que le slavisant allemand essaie d'expliquer pourquoi la vengeance de Sil'vio a échoué: pendant la première phase du duel Sil'vio ne pouvait exécuter son projet de vengeance, parce que le comte, en tant que personnage romanesque, lui était supérieur, ne montrait aucune trace d'inquiétude, quand il était mis en joue et témoignait même d'indifférence injurieuse.

Pendant la deuxième phase du combat, le comte lui était supérieur, parce qu'il avait depuis longtemps renoncé aux actions d'éclat de sa jeunesse, tandis que Sil'vio était resté le même personnage exalté.

A l'inverse de l'effet recherché par Sil'vio, le comte n'avait pas la conscience bien lourde, mais il menait une vie heureuse avec son épouse charmante. L'épisode final du combat devient dans le récit du comte une affaire de vengeance romanesque à laquelle il est supérieur comme le sont — d'après Busch — le narrateur et le

---

[7]   Ulrich Busch, "Puškin und Sil'vio. Zur Deutung von *Vystrel*; eine Studie über Puškins Erzählkunst", dans *Opera Slavica, IV*. Slawistische Studien zum V. Internationalen Slawistenkongress in Sofia 1963 (Göttingen, 1963), pp. 419-424.

lecteur. C'est ainsi que le comte fait tomber en discrédit le romantisme de Sil'vio et qu'il se montre un homme passé du bel âge de
l'adversaire de Sil'vio a l'âge de raison. Pour l'épilogue, Busch se
rapporte à certaines opinions de Puškin sur la bataille de Skuljani
et il en tire la conclusion qu'on ne saurait voir dans la mort de
Sil'vio rien d'autre qu'un fait absurde.

Le slavisant américain Shaw contesteste toute espèce de magnanimité dans le comportement de Sil'vio vis-à-vis du comte. Au
contraire, il fait preuve d'une malignité raffinée.[8] Ses moyens de
forcer le duel sont peu délicats. L'attente du moment suprême de la
vengeance n'est pas trop noble. On ne saurait parler d'un héros au
sens d'une personnalité admirable, mais on peut dire que Puškin
vise à balancer deux manières d'estimer le comportement de Sil'vio:
celle du jeune homme et celle de l'homme adulte. Partant du courage
comme la seule valeur qui compte, le jeune homme pourrait évaluer
positivement la vengeance de Sil'vio; l'adulte pèse avec le courage la
possibilité (pour Sil'vio) de choisir entre noblesse ou malignité et la
question se pose si l'on ne peut être courageux sans tomber dans
le piège de la jalousie et de la haine.

Par rapport à ce dilemme, Shaw fait cas de l'épilogue. Cet épilogue a une fonction importante dans le mouvement thématique de
la nouvelle: il établit la valeur relative du courage. La mort de
Sil'vio n'est belle que parce qu'elle n'enfreint en aucun sens d'autres
valeurs humaines. On peut en conclure — d'après Shaw — que la
qualité du courage, détachée d'autres qualitès morales, est toute
relative. Elle ne signifie pas grand-chose dans les situations du duel.

Parmi ces savants, Boris Èjxenbaum est le seul à se divertir au jeu
de la fable compliquée tout en dépréciant la caractérisation de
Sil'vio. Il est difficile d'accepter cette dépréciation: elle fait tomber
dans le néant de nombreux procédés amusants tendant à caractériser (ou plutôt à travestir) le héros. L'article de Petrovskij, qui
estime que la caractéristique de Sil'vio est le pivot de toute la
nouvelle, ne remédie pourtant pas trop aux esquisses rapides de
Boris Èjxenbaum: la caractérisation du héros s'épuise pour Petrov-

---

[8] J. Thomas Shaw, "Puškin's *The Shot*", dans *Indiana Slavic Studies, III*
(The Hague, 1963), pp. 124, 127-129.

skij avec le mot 'mystérieux'. C'est une simplification qui, elle aussi, fait perdre de vue mille procédés captivants.

Les contradictions mutuelles des autres slavisants, de l'est et de l'ouest, s'expliquent également par des vues plus ou moins partielles de la construction du thème. Il ne s'agit pas de nier les observations valables sur la symétrie de la composition, sur les motifs répétés (Blagoj),[9] sur la contrastante valeur dramatique de ces motifs (Stepanov),[10] sur le rôle du narrateur (Shaw, Busch)[11] — mais toutes ces observations restent isolées. Elles n'embrassent pas l'ensemble des procédés interdépendants, et partant ne révèlent pas la construction raffinée du thème avec tout ce qu'il y a d'humour, d'ironie et de profondeur. Il en résulte que les interprétations en question ne se laissent pas adapter à toutes les variations du thème. En simplifiant le système artistique, elles portent atteinte à ce système même et obscurcissent par conséquent le thème du récit, en premier lieu la caractéristique du personnage principal. Rien que de voir dans ces interprétations la perte de l'aspect léger, suffit à démontrer cette violation.

Je vais essayer de faire une analyse qui mettra au jour nombre de procédés du style et de la composition. Un de mes objectifs sera d'établir en passant une caractéristique de Sil'vio. Je ne prétends d'ailleurs pas définir la personnalité de Silvio. Je m'efforcerai seulement de proposer une solution qui soit coordonnée aux fonctions esthétiques que j'ai pu déceler dans la construction de la nouvelle de Puškin.

Analysons maintenant en détail le *Coup de pistolet.*
Dès les premières phrases, le ton d'un récit rapide se fait entendre. Ce ton voulu renforce les autres objectifs du début: l'illusion d'un authentique milieu social à une époque donnée et le pressentiment d'un événement extraordinaire. Le narrateur apporte dans le champ visuel du lecteur certains moments routiniers de la vie de garnison d'un officier. L'aspect routinier est suggéré par l'introduction d'un

[9]   D. Blagoj, *o.c.*, pp. 228-231.
[10] N. L. Stepanov, *o.c.*, p. 195.
[11] J. Thomas Shaw, "o.c.", pp. 115-117. Ulrich Busch, "o.c.", pp. 409, 412-413, 421-422.

motif exprimant que pour le lecteur ce genre de vie est vieux comme les rues ("Ce qu'est la vie de garnison ..., on le sait du reste"). Les suggestions d'une routine bien connue deviennent plus fortes par le procédé de passer rapidement en revue les faits de cette existence. Parallèlement, la supposition s'accentue que ce train-train de la vie va être traversé par quelque chose de curieux. Une opposition surgit entre la petite allure lente et routinière de la vie et l'impatience du narrateur (et de son lecteur) à l'égard de cette ornière où les officiers se traînent. Le ton d'impatience se glisse surtout dans la succession rapide de propositions nominatives (elliptiques en traduction), unies sans conjonctions: "Le matin, exercise, manège, repas chez le commandant du régiment ... le soir punch et cartes". Le contenu du deuxième alinéa s'oppose à celui du précédent, bien que le style rapide du début se poursuive: au lieu d'usages établis on rencontre l'exceptionnel, le mystérieux. Le narrateur détache son héros Sil'vio du fond de la garnison comme un ancien militaire aux allures byro-niennes, supérieur dans sa morosité habituelle, redoutable par son incroyable adresse de tireur, son passé obscur probablement chargé de la mort d'une victime de cette habileté, son avenir marqué par l'engagement dans une entreprise secrète. On comprendra que tout cela est comme un dégagement partiel des promesses d'aventures qui se glissent dans le début: degagement partiel, parce que beau-coup reste caché. La caractérisation directe de Sil'vio révèle peut-être plutôt la naïveté romanesque du narrateur que la personnalité du héros. La caractéristique de celui-ci comprend une série de motifs successifs qui opposent l'un à l'autre des faits peu compatibles. L'opposition s'effectue par l'alternance laconique de deux termes (le plus souvent deux courtes propositions) qui expriment la dis-cordance des faits comparés.

Les termes discordants sont alors mis en rapport avec des con-jonctions de coordination comme *a, no, zato*: "on le croyait Russe, mais il portait un nom étranger ... il vivait ... pauvrement et avec prodigalité; il allait toujours à pied, vêtu d'une redingote noire usée, mais tenait table ouverte pour tous les officiers ... son dîner ne se composait que de deux ou trois plats ..., mais le champagne y coulait à flots". D'autres tournures abruptes intensifient encore l'énergie de la langue. Il s'agit de l'infiltration de motifs qui empiètent sur la direction thématique. Ces motifs sont introduits à un moment d'emphase (à la fin de l'alinéa). Leur effet est double: ils accusent l'esprit romanesque du narrateur et créent un effet de suspension: "Loin de nous l'idée de soupçonner en lui rien qui ressemblât à de la crainte. Il y a des gens dont l'aspect seul écarte de telles pensées. Un fait inattendu nous étonna tous".

Ensuite le narrateur prend son temps pour avérer les anticipations intrigantes. Il retarde leur issue par l'exposé concis de l'incident survenu pendant le jeu de cartes. Le compte rendu de cet incident frappe par la succession vive de mouvements contrastants, par le va-et-vient d'action et de contre-action entre Sil'vio et l'officier. L'alternance des véhémentes sorties donne un exemple des plus purs de l'enchaînement rapide des arrangements verbaux juxtaposés: "... il fit par distraction un paroli de trop. Sil'vio prit la craie et, selon son habitude, rétablit le compte. L'officier, croyant à une erreur de Sil'vio, se jeta dans des explications. Sil'vio continuait à tailler silencieusement. L'officier perdant patience, saisit la brosse et effaça ce qui lui paraissait inscrit à tort. Sil'vio, reprenant la craie, l'inscrivit à nouveau", etc. Ce fragment rapide n'apporte pas le dégagement des faits tenus en suspens mais se termine également par un effet de suspension. Il s'agit de la sortie énigmatique de Sil'vio: "Monsieur, veuillez sortir et remerciez Dieu que ceci se soit passé dans ma maison." La suggestion de choses cachées sera ensuite à la fois affaiblie et intensifiée par le fait que le narrateur ne semble rien entendre aux mots de Sil'vio. Ces mots tombent dans le vide, ils sont comme noyés dans le contexte: il ne sera question que du duel à venir, de la mort inévitable d'un camarade, de la vacance prochaine. Le récit abondera dorénavant de moments où le narrateur fait l'impression de ne rien comprendre, où, par conséquent, il rend plus emphatiques les effets de suspension et où apparaît derrière ses mots naïfs comme la grimace de l'auteur implicite. L'attitude ébahie du narrateur et du milieu dont il est le représentant, est le plus expressive quand les invraisemblables et obscures anticipations sont établies comme vraies. Cette attitude est suggérée au moyen d'une amusante tournure subite: "Est-il possible que Sil'vio ne se batte pas? Sil'vio ne se battit pas". L'ébahissement du narrateur fait naître de nouveaux effets de suspension quand il n'ose pas reléguer

sans détours au climat de la crainte les mobiles de Sil'vio. Le narrateur n'avère pas ses vagues soupçons, anticipés au moment où il
annonça l'exposé d'un "fait inattendu qui nous étonna tous". Il
n'avère que des allusions à des allusions et rend plus âpre le dilemme
vis-à-vis d'un acte qui sous un certain angle, pourrait être considéré
comme lâche mais qui vraisemblablement, n'est pas fondé sur la
crainte. Et la question demeure en suspens: "Pour quelle raison
Sil'vio évita-t-il un duel?" L'auteur implicite fait glisser parmi les
observations du narrateur l'impuissance à comprendre les mobiles
de Sil'vio. C'est ainsi qu'une nuance d'humour colore son discours
quand il se met à s'étendre sur la conduite lâche en général sans
s'expliciter sur Sil'vio: "La couardise est la chose que les jeunes
gens excusent le moins", etc. De pareilles nuances se font sentir
encore davantage dans la partie où le narrateur, du haut de son
présent narratif, fait ses réserves quant à son passé romanesque mais
n'avance aucunement la compréhension de Sil'vio. Tout au contraire, il ne fait qu'intensifier la question excitante, entamant des
réflexions comme les suivantes: "Ayant, de mon naturel, une
imagination romanesque, j'étais auparavant, plus que tout autre,
attaché à cet homme, dont la vie restait une énigme et qui me semblait le héros de quelque mystérieux roman ... depuis la malheureuse
soirée, je ne pouvais cesser de penser à cette tache faite à son honneur, tache qu'il renonçait volontairement à laver, et qui m'em-
pêchait de me conduire avec lui comme autrefois; j'avais honte de
le regarder".

L'entassement des effets de suspension appliqués à une même
donnée et les commentaires impuissants du narrateur ralentissent le
récit. Le narrateur qui a changé le "nous" en "je", indique d'une part
qu'il était alors, malgré tout, attaché à Sil'vio, d'autre part il manifeste une certaine propension à s'éloigner de son héros. "Les habi-
tants affairés de la capitale imaginent mal quantité d'émotions bien
connues des campagnards et des gens de petites villes". On entend
un écho lointain des scènes à la campagne au début du chapitre
suivant. Il y a comme un premier signe de la part d'un narrateur qui
se désintéresse des subtilités romanesques, qui sent que sa compréhension est à bout et se met joliment à s'égarer dans des digressions sur des choses connues de sa vie. Mais cette fois-ci, il ne

s'égare pas trop longtemps: il rétablit la scène exaltée de son passé, la scène de Sil'vio. En racontant ce que signifie le jour du courrier à la campagne, il passe à Sil'vio qui après avoir parcouru une lettre, a annoncé son départ subit. La soirée des adieux offre le tableau des détails connus: le champagne, les murs troués, etc. Sil'vio est décrit de manière plus romanesque que jamais: sa pâleur ténébreuse, l'épaisse fumée sortant de sa bouche, son aspect de vrai diable. Plusieurs thèmes du récit de Sil'vio respirent la même atmosphère. Pour être plus exact: ce récit est comme un tintamarre du plus pur romantisme et du plus fervent antiromantisme. Sil'vio semble alternativement exciter et brusquer les goûts de son interlocuteur. Les réactions de ce dernier sont rendues d'une façon contenue et fort amusante, au moyen des suggestions de sa psychologie. En cela, la puissance de l'auteur implicite se fait sentir une fois de plus. C'est ainsi que l'interlocuteur fait le geste des demoiselles dans les nouvelles sentimentales ("je me taisais en baissant les yeux") quand il entend dire: "... je vous aime et il me serait pénible de laisser dans votre esprit une fausse impression." Le même genre d'effet drôle est provoqué par le héros quand il dit: "Si j'avais pu punir R. sans risquer ma vie, je ne lui aurais pardonné pour rien au monde". L'interlocuteur se met immédiatement à la remorque de Sil'vio: "Un tel aveu me confondait". Ensuite il tombe dans le piège des thèmes romanesques à la mode. Acceptant l'explication que Sil'vio n'avait pas le droit de s'exposer à la mort, parce que son ennemi était encore vivant, il suppose un duel manqué: "Ma curiosité était excitée au plus haut point. Vous ne vous êtes pas battu avec lui? Les circonstances vous ont probablement séparés?"

L'auteur implicite se manifeste dans le jeu caché avec les personnages et thèmes romanesques, dans les naïves réactions promptes du narrateur-interlocuteur qui saute sur ces thèmes ou tombe dans la confusion quand la "réalité" contrarie la "littérature". L'auteur implicite se montre également dans la caractérisation indirecte de Sil'vio: dans le jeu de celui-ci avec des thèmes romanesques et parallèlement avec son interlocuteur. Tout le début du récit de Sil'vio est de "la littérature" aussi par ses effets de suspension bien calculés. Il commence par quelques faits et gestes intrigants qui anticipent sur les choses à venir. Je ne rappelle que son geste spectaculaire, par lequel il répond à la supposition d'un duel manqué: la coiffure d'un bonnet de police traversé d'une balle à un doigt du front.

Ensuite Sil'vio se met à raconter dans l'ordre chronologique. Son récit semble témoigner d'une rude sincérité et, au commencement, d'ironie envers soi-même. Mais ensuite il a l'air de prendre au sérieux son amour-propre un peu mesquin et le désir furieux de vengeance qui en est la conséquence. Toujours il prend plaisir aux effets de choc. Il force son interlocuteur à passer par les verges, car nonchalamment il efface tout coloris romanesque de son portrait. Il esquisse rapidement sa vie dissipée de hussard il y a cinq ans: avec une nuance d'ironie il insiste sur le fait qu'il était supérieur dans le genre. Mais cette nuance s'évapore assez vite quand il commence à parler de son grand rival: le comte. Alors le passé raconté et le présent narratif se consument en quelque sorte dans une même haine mi-ridicule, mi-sinistre. Les deux aspects narratifs ont chacun leur point culminant. Le passé raconté atteint son plus haut degré de tension au moment où Sil'vio met en joue le comte et subitement, prend la décision de ne pas tirer. Sil'vio parle d'une pensée perfide qui se glissa dans son esprit quand il vit avec quelle insouciance le comte attendait le coup, crachant vers lui les noyaux des cerises qu'il mangeait: c'était la perfidie de lui ravir la vie à un moment où mourir lui serait beaucoup plus pénible. Le point culminant du présent narratif suit quand le récit de Sil'vio a abouti à la scène et au temps de l'encadrement: le moment est venu pour user de son droit et tuer le comte, qui va prochainement se marier avec une jeune fille ravissante. "Nous verrons si la veille de son mariage, il accepte la mort avec autant d'indifférence qu'il l'attendait naguère en mangeant des cerises". Le premier chapitre se termine par le plus véhément effet de suspense rencontré jusqu'ici. Il consiste dans l'interruption des événements au moment de tension maximale, c.-à-d. au moment où Sil'vio se met en route pour mettre à exécution son entreprise terrible. L'humour de l'auteur implicite atténue la portée de ce fait. Cet humour se glisse dans les remarques de l'interlocuteur, dont la réaction excitée amène l'écho des comparaisons romanesques: "... Sil'vio se leva, jeta à terre sa casquette et se mit à marcher de long en large dans la chambre, comme un tigre en cage". Le sérieux de cette image diminue en quelque sorte celui des anticipations sinistres. Il appelle l'attention sur la nature romanesque et naïve du narrateur-interlocuteur et le soupçon s'élève que peut-être encore une fois, Sil'vio s'est joué de son interlocuteur simple. Ce jeu paraît toucher le but quand le narrateur de l'encadrement fait une observation équivoque, qui semble indiquer à quel point son penchant pour les scènes romanesques est excité et bursqué à la fois: "... des sentiments étranges, contradictoires m'agitaient". Le lecteur d'ailleurs sera probablement à son tour intrigué par l'annonce terrible de Sil'vio. S'il ne veut pas croire que le héros soit aussi diabolique qu'il se le représente, le lecteur se demande pourtant comment Sil'vio pourrait se tirer de cet avenir nauséabond ou comment il pourrait commettre le meurtre sans corrompre le plaisir esthétique que procure le récit.

Le récit de Sil'vio est conforme aux principes du style rapide. La succession des courtes propositions juxtaposées est comparable à celle appliquée pour rendre le conflit pendant le jeu de cartes. Alors il y avait un brusque va-et-vient d'action et de contre-action entre Sil'vio et l'officier, dans ce cas-ci il y a une rapide oscillation entre un "nous" et un "moi": un nous qui représente les modes régnant dans un milieu social donné, un moi qui réagit avec la rapidité de l'éclair. Une nuance d'ironie envers soi-même est indéniable dans les réactions qui font penser aux automatismes d'un pantin: "De notre temps, la débauche était à la mode; j'étais le plus grand tapageur de l'armée. Nous faisions parade de nos soûleries; je l'emportais même sur le fameux Burcov, chanté par Denis Davydov", etc. Mais Sil'vio emploie aussi des moyens de style à lui pour créer un récit rapide. Quand il peint au vif les talents et succès de son grand adversaire, il se sert d'une figure rare dans la nouvelle: la gradation comprenant une série de substantifs et de tournures rythmées: "Imaginez la jeunesse, l'esprit, la beauté, la gaieté la plus folle, la bravoure la plus insouciante, un nom illustre," etc. Dans la description du duel on retrouve le modèle de courtes propositions destinées à rendre l'alternance des actions. Mais tandis que le narrateur-observateur met toujours en balance les sorties des adversaires et par conséquent, tour à tour les met en scène, — Sil'vio enfreint plus ou moins ce balancement. Plus d'une fois il absorbe en

quelque sorte la sortie de son rival par sa réaction émotive. Il
l'empêche de s'individualiser, il l'organise dans son champ per-
sonnel. L'emploi des pronoms possessifs et réfléchis en combinaison
avec un verbe qui ne se réfère qu'à la position émotive de Sil'vio,
marquent cet accaparement: "Je l'avais pris en haine. Ses succès au
régiment me jetaient dans le plus grand désespoir. Je me mis à lui
chercher quérelle; à mes épigrammes il répondait par des épigrammes qui me paraissaient toujours plus inattendues et plus acerbes
que les miennes", etc. En général on peut dire que les différences de
style dans le récit de Sil'vio sont des différences de degré qui expriment la gradation des émotions et pressent encore plus le mouvement rapide.

L'encadrement dans le deuxième chapitre sert expressément à
retarder le cours principal des événements. Les digressions s'y
faufilent sans cesse. Elles satisfont à deux objectifs plus ou moins
opposés: la prolongation des effets de suspension et le sapement de
l'épouvante annoncée. C'est ainsi que le lecteur est entraîné dans
une atmosphère grise de stagnation, qui donne un relief légèrement
comique aux précédentes scènes mouvementées. Les détails de la
solitude du campagnard, son dégoût mêlé de résignation et d'ironie
tournent plus ou moins en dérision les faits terribles qui autrefois
l'enthousiasmaient et le tourmentaient.

Par là, le narrateur insiste un peu trop sur le point de vue d'homme
mûr dans son présent narratif, plus de cinq ans après les événements
qu'il vient de raconter. Cette insistance, ombrée d'une nuance de
ridicule, amène avec la changement radical du thème un changement très sensible dans l'usage de la langue. Au ralenti de la vie
correspond le ralenti du style. L'ennui, le retour des besognes
quotidiennes, sont exprimés par des imperfectifs, souvent combinés
avec un auxiliaire qui renforce l'effet d'un processus lent et long.
A ces signaux de la durée et de la répétition, s'attachent des compléments circonstanciels et par conséquent l'emploi plus fréquent
de substantifs, d'adjectifs et d'adverbes: "Tout en m'occupant des
questions domestiques, je ne cessais de soupirer après ma vie
d'autrefois, insouciante et mouvementée". Des participes présents
entassés ralentissent la phrase: "Je me traînais tant bien que mal
jusqu'au dîner, causant avec le staroste, visitant les champs ou

faisant le tour des nouveaux établissements". Par d'autres moyens encore, la phrase s'étire, se traîne conformément au thème du "taedium vitae". Un de ces moyens est d'encombrer le sujet d'une relative: "Tous les contes dont pouvait se souvenir ma ménagère Kirillovna, elle me les avait ressassés". Un penchant à être trop clair et à retourner vers les bons mots retarde la progression des phrases ou point de rendre le discours un peu prolixe: "j'avais peur de devenir *ivrogne par tristesse*, c'est-à-dire un de ces *tristes* pochards comme on n'en trouve que trop dans notre district. Autour de moi, pas de proches voisins, sinon deux ou trois de ces *tristes* ..."

Au fur et à mesure de ses digressions le narrateur change de gamme. Après l'emphase légèrement amusante de ses mots d'esprit il s'aventure dans un épisode où il s'était comporté en naïf. Il exagère un peu sa naïveté pendant la visite rendue au couple comtal qui vient d'arriver à la vaste propriété voisine. Il se montre comme le représentant timide d'un coin isolé de la province, ébloui par le luxe et surtout par la beauté de madame. En se recommandant comme "leur très humble serviteur", il ne s'adresse à eux que par un "Votre Excellence" et il emploie alors le verbe au pluriel comme font les gens de classe inférieure. Il n'économise pas les remarques sur l'accueil aimable et sans cérémonie, sur l'attention encourage-ante que lui témoignaient le comte et son épouse. Il ne semble pas voir que sa conversation baigne dans une atmosphère de badinerie et de moquerie subtiles. C'est madame surtout qui y contribue par l'intérêt qu'elle feint de prendre au sujet: "Vraiment! fit la comtesse d'un air de grande attention. Et toi, mon ami, mettrais-tu une balle dans une carte à trente pas?" Le narrateur s'engage dans des propos gaillards et un peu vulgaires: une anecdote et des bons mots qui tous pivotent sur l'affirmation que le bon tir exige le bon exercice. A ce fond immuable se rattachent des ornements qui sont autant de variations des motifs qu'on connaît comme des accessoires et des propos de la scène de Sil'vio: les cartes percées, les cartes manquées, les beaux coups, les ratés, etc. Parfois les variations suppléent même aux détails de la scène de Sil'vio. Ce qui les rend si piquantes, c'est qu'elles sont détachées des actions violentes et menaçantes du passé et en même temps orientent le lecteur sur les faits retenus. Mais par cette orientation fortuite les faits en question perdent un peu de leur aspect sinistre. Comme introduction à la suite de l'action principale sert l'anecdote sur le meilleur tireur qu'il arriva au narrateur de rencontrer. Dans cette anecdote on trouve rassemblés les éléments légers que je viens d'indiquer: le rôle animateur de madame (qui en sort à un moment où elle ne se surveille pas), des données complémentaires de la scène de Sil'vio (les murs criblés de trous de balles), les formules de politesse mêlées aux tournures un peu vulgaires. Voici cette anecdote par laquelle le narrateur répond à la question du comte: "Et que valait son tir?" "Jugez-en, Excellence: voyait-il par exemple une mouche se poser sur le mur … Vous riez, comtesse? Je vous jure que c'est vrai … Or donc, voyait-il une mouche: "Kuz'ka!" appelait-il alors, "Kuz'ka, un pistolet". Kuz'ka lui apportait un pistolet chargé. Boum! et voici la mouche enfoncée dans le mur". La réplique du comte, pleine de moquerie cérémonieuse, est entraînante à cause de l'arrière-plan des faits retenus: "C'est stupéfiant … et comment s'appelait-il?"

La subite réintroduction du héros suit avec l'effet d'un quiproquo inattendu pour le comte: "Sil'vio, Excellence", et provoque le brusque revirement du ton cérémonieux dans la réaction du comte: "Sil'vio! s'écria le comte en se levant brusquement. Vous avez connu Sil'vio?" Le lecteur prendra un plaisir spécial au fait que le narrateur est si long à deviner l'identité du comte après les pourparlers qui pour le lecteur étaient comme un jeu de cache-cache avec le héros: "Ne s'agit-il pas, Excellence, d'un soufflet qu'il reçut d'un écervelé à un bal?", etc. L'identité du comte rétablie et l'aspect le plus imminent ôté aux faits retenus, la nouvelle reprend son cours dramatique et rapide, plus émotif que jamais, plus terrible que jamais. Le lecteur soulagé s'y précipite avec enchantement et il ne demande pas mieux que les mots de madame qui s'efforce d'empêcher son mari de raconter comment se vengea Sil'vio: "Ah! mon cher! … pour l'amour de Dieu, ne continue pas, c'est trop affreux". Le récit du comte fonctionne comme le revirement central. Cette partie encadrée apporte le sommet émotif de la nouvelle avec les trois scènes où Sil'vio tient le comte en joue dans des circonstances de plus en plus turbulentes. C'est le récit où l'auteur implicite se fait remarquer le plus souvent: dans les tournures romanesques et mélodramatiques, aux moments qui acquièrent une valeur symbolique. Le récit du comte se termine par plusieurs surprises finales auxquelles se rattachent les moments très marqués de l'épilogue. Les trois scènes prennent le contre-pied des scènes analogues dans le récit de Sil'vio. Pour être plus exact: un nombre de motifs de la première étape du duel réapparaissent à la seconde, mais là ils sont placés dans un contexte d'une contrastante valeur émotive. Dans les deux cas, Sil'vio refuse de tirer le premier et les deux adversaires s'en remettent au sort. Mais autrefois c'était que Sil'vio se sentait si agité qu'il ne comptait pas sur la sûreté de sa main; plus tard c'était pour ne pas commettre le meurtre d'un homme sans armes. Dans les deux cas, le comte sort le numéro un, mais tandis qu'autrefois il pourrait être regardé à bon droit comme "cet éternel favori de la fortune", plus tard cette faveur lui était pénible comme il ressort de son affirmation qu'il n'oubliera jamais le sourire de Sil'vio quand celui-ci dit: "Tu as une chance diabolique, comte". Dans les deux cas, le comte tire sur Sil'vio. Mais autrefois il le fit sans la moindre trace d'inquiétude, plus tard dans un désarroi complet. Dans les deux cas, Sil'vio se refuse au dernier moment de décharger son pistolet. Mais alors que, autrefois, le sang-froid outrageant de son adversaire le décida à tirer quand mourir coûterait cher au comte, plus tard il refusa à cause du trouble et de la frayeur de son ennemi. Les préparatifs du tir recommencent jusqu'à quatre fois. Trois fois, Sil'vio se met à viser. Chaque fois la situation devient plus tendue et le lecteur se laisse presque convaincre qu'un coup mortel sera déchargé. Le langage contribue à ce surcroît de tension émotionnelle. La méthode narrative du comte ne s'écarte pas des principes qui sont à la base du style rapide des trois narrateurs. Les motifs introduisant le duel sont autant de courtes indépendantes, juxtaposées dans une succession rapide. Mais quand le comte rend les scènes répétées du combat, il se sert de variations pour exprimer ses prévisions angoissantes. Il retarde l'enchaînement des arrangements lapidaires et intensifie les sentiments de terreur par des points suspensifs, par les procédés de revenir sur les mots, d'interrompre les moments de la scène par des remarques: "Il sortit son pistolet et visa ... Je comptais les secondes ... Je pensais à elle ... Une horrible minute passa! ... alors Sil'vio ... (en ce moment il était vraiment effrayant) Sil'vio se mit à me viser", etc. Malgré

l'obsession des scènes répétées, malgré l'accumulation progressive
des émotions, malgré la suggestion toujours plus pressante d'un
final terrible, — le lecteur garde une certaine réserve amusée pour
les exploits de Sil'vio. Cette réserve s'explique, naturellement, par le
bonheur du couple cinq ans après les scènes décrites. Elle trouve
des points d'appui à tous lieux où se fait entrevoir l'auteur implicite,
où il crée des rapports tacites avec des motifs de l'encadrement et du
récit de Sil'vio. D'abord il y a le beau contraste avec les attitudes de
vénération et de bienveillance condescendante, décrites dans l'encadrement. Les mots dont use Sil'vio pour s'adresser au comte, sont
en flagrante opposition aux humbles politesses du narrateur et aux
airs un peu hautains du comte. C'est avec de brusques tutoiements
et avec de menaçantes intonations qu'il parle au comte: "Tu ne me
remets pas, comte? ... je suis venu pour décharger mon pistolet;
es-tu prêt?"

   Ensuite réapparaissent certains détails qu'on connaît de la scène
de Sil'vio: le bonnet rouge, les noyaux crachés vers Sil'vio. Ces
détails montrent combien les rôles des adversaires ont changé, mais
aussi à quel point Sil'vio est resté le même avec le goût qu'il prend
aux beaux effets. L'ironie est fine, grâce à l'ignorance du narrateur,
qui raconte, sans la moindre nuance humoristique, qu'ils roulaient
deux billets que Sil'vio mit "dans la casquette autrefois traversée par
ma balle". Un effet pareil est atteint, quand il fait dire à Sil'vio: "Je
regrette que mon pistolet ne soit pas chargé avec des noyaux de
cérises ..." La gradation des moments de colère quand Sil'vio
s'adresse à la comtesse, est teinte également d'une nuance moqueuse
par l'auteur implicite: "Une fois il me gifla en plaisantant; en
plaisantant il traversa d'une balle cette casquette que voici", etc.

   L'ironie qui s'infiltre dans les scènes terribles procède parfois de
la manière narrative du comte. Ainsi quand il emploie une expression qui est comme un écho du romantisme frénétique: "en ce
moment il était vraiment effrayant". Parfois les faits racontés
sentent le mélodrame: madame aux genoux de Sil'vio, ensuite
évanouie. L'interlocuteur apporte aussi une nuance d'ironie —
inattendue après le théâtre de sa timidité — par l'application comique d'une comparaison banale: "madame était plus blanche que
son mouchoir". Peut-être qu'il prend ici un moment le ton d'indif-

férence et de nonchalance auquel il revient au final. La nuance ironique la plus aiguë se fait sentir dans les scènes répétées où Sil'vio trouve chaque fois de meilleures raisons pour remettre son coup. Si le lecteur s'est laissé convaincre qu'aucun souci de magnanimité avait poussé Sil'vio à ne pas tuer le lieutenant, si le lecteur a cru à "la pensée perfide" qui incita Sil'vio à remettre la décharge de son pistolet, — il aura beaucoup de peine à comprendre les raisons alléguées pour recommencer jusqu'à quatre fois les préparatifs du tir. Ces raisons sont peu compatibles avec l'attitude implacable qui a servi à expliquer les autres occasions du combat manqué. Au désir de vengeance impitoyable et à la férocité meurtrière succèdent la magnanimité, la circonspection morale et la belle leçon, pour motiver la rétention d'un coup fatal. Qu'on pense au moment où Sil'vio dit : "Ça n'a plus l'air d'un duel, mais bien d'un assassinat : je n'ai pas accoutumé de mettre en joue un homme sans armes", etc. Au final, Sil'vio va même jusqu'à administrer au comte des réprimandes. La suggestion s'impose que dans les diverses situations du conflit Sil'vio a eu recours à des arguments factices pour sauvegarder dans un sens ou dans l'autre les apparences d'un héros qui a le goût de son milieu social. Les mots de Sil'vio ne serviraient alors qu'à dissimuler un fond exprimé. Les scènes d'hésitation et de circonspection, parallèles à l'accroissement progressif de la fureur menaçante, constitueraient le symbole de ce fond tacite. Il est de l'essence d'un symbole qu'il signifie toujours plus qu'on ne peut mettre dans les mots. Comme un aspect symbolique qui s'harmonise avec le ton léger et avec une certaine profondeur du thème, je suppose tout simplement que Sil'vio ne peut pas tuer froidement un homme. Ce symbolisme a ses nuances légères par la simplicité de la réalité qu'il signifie et par la complexité des masques derrière lesquels il se cache : le masque du romantisme naïf que le narrateur de l'encadrement met sur le visage du héros, le masque d'épate et de suggestions terribles qui sert de déguisement à Sil'vio lui-même, le masque de moralité un peu douteuse dont use le comte pour travestir le héros. Il en résulte que Sil'vio est décrit comme un ambigu de magnanime et de jaloux, de noble et de vilain, etc. Le symbolisme doit ses nuances de profondeur à la suggestion que Sil'vio n'est réductible à aucun des points de vue qu'avancent les narrateurs, ni à leur ensemble, que Sil'vio est plus que n'expriment les mots, plus aussi que ne font entrevoir les symboles. Les aspects de profondeur et de légèreté ont leurs mesures propres à la fin de la nouvelle. Les moments aigus du final ont un coloris de fin humour. Tous apportent des revirements suprenants. Le premier changement aigu survient avec la subite renonciation au duel. Cette brusque décision de Sil'vio prend le contre-pied d'un tas de suggestions à travers toute la nouvelle. C'est une résolution qui bute contre les mots d'indignation que le comte vient de prononcer après l'intrusion mélodramatique de madame: "— Relève-toi, Maša, c'est une honte ... Quant à vous, monsieur, cesserez-vous de railler une pauvre femme? Qui, ou non, voulez-vous tirer? — Je ne tirerai pas" ...

C'est un pareil mouvement à rebours des orientations thématiques que donnent les mots suivants, mettant le comte en accusation d'avoir tiré, et le livrant à sa conscience. Immédiatement après suit une tournure, qui emprunte son allure amusante à la comparaison avec les situations du duel, où plusieurs fois, Sil'vio se mettait a viser le comte: à la fin il s'arrêta à la porte et logea presque sans viser sa balle dans le trou fait par le comte. Ensuite frappe le ton de désintéressement du narrateur: "voici comment j'appris la fin de l'histoire dont le début m'avait tellement frappé jadis". Après les scènes mouvementées, cette réaction a l'effet d'une opposition qui frôle le dégoût. Le narrateur aboutit au scepticisme de son présent narratif, qu'on connaît par le début de l'encadrement, au deuxième chapitre. Mais se voulant désintéressé et embêté, il montre en même temps son esprit noué. Une suggestion pareille de sentiments d'ennui et d'un esprit étroit se glisse dans l'information nonchalante du court épilogue. Du bout des lèvres, le narrateur rapporte une rumeur qui autrefois, l'eût fait pousser des cris d'admiration, rumeur des plus révélatrices de la personnalité de Sil'vio et qui contient une dernière nuance ironique du thème: au rebours des suggestions de la plus grande partie de la nouvelle, le comte vit, Sil'vio est mort: tué dans la bataille de Skuljani, à ce qu'on dit.

La structure de la nouvelle de Puškin tient par un équilibre hasardeux. Les procédés de style et de composition semblent parfois accélerer les événements en les retardant, ils paraissent rendre très clairs les faits en les compliquant comme à la dérobée, et souvent ils tournent en plaisanteries des éléments descriptifs et dramatiques qui en même temps, approfondissent le thème. L'impression de rapidité est créée par les principes dynamiques de la narration, comparables chez les trois narrateurs. A la rapidité contribue aussi l'empreinte de l'auteur implicite qui favorise l'emphase laconique. Ensuite ce sont surtout les nombreux procédés dramatiques de la composition qui donnent au récit sa rapidité: les moyens divers de tenir le lecteur en haleine, les mouvements thématiques contrastants, les transitions brusques comme par example les moments inattendus de l'introduction du héros et les changements subits de son comportement.

Les entrecoupements l'emportent. Mais souvent ils ne se font presque pas sentir grâce à leur intégration dans le style rapide. En outre, la digression détaillée au début de la nouvelle, donne assez longtemps l'illusion de devenir l'aventure principale et sert ensuite de prélude aux actions turbulentes ultérieures. Ce sont surtout les parties encadrées, qui frappent par un élan renouvelé de force narrative en rapport étroit avec l'introduction d'un nouveau narrateur-personnage: il en résulte que les récits de Sil'vio et celui du comte passent impétueusement sur les détails qui ne sont pas directement rattachés à l'aventure centrale. Si les entrecoupements retardent et encombrent sensiblement les événements au centre, ils leur donnent en même temps un relief léger et présentent une sorte de délivrance des faits par trop pénibles: l'entrecoupement "pèse" alors par sa légèreté et entraîne le lecteur en tant que signe frivole, qui fait espérer une suite moins sinistre qu'il ne paraît auparavant. Ces détours amènent alors le repos nécessaire. De plus, ils abondent d'effets de suspension ou d'anticipations sourdes mais tenaces qui appellent l'interêt du lecteur. Il en résulte que l'impression d'un récit rapide ne sera pas définitivement rompue.

Si la situation narrative — pour les raisons que nous venons de résumer — ajoute à la rapidité du style, elle rend la nouvelle bien complexe à plusieurs points de vue.

A y voir de près, le développement de l'action centrale devient bien compliqué, non seulement par la coopération de trois narrateurs mais encore par l'ombre des personnes qui plane au-dessus d'eux: l'adaptateur, I.L.P. et l'éditeur. D'autres complications apportent les différents points de vue chez un même narrateur: présent narratif, passé raconté et parfois plusieurs périodes du passé raconté. Et ce sont surtout les contradictions entre tous ces masques narratifs qui renforcent sensiblement l'aspect complexe. S'il est vrai que cette complexité se laisse réduire à des facteurs plus simples du fait que plusieurs de ces moyens sont en quelque sorte non-existants et que d'autres se réunissent dans un même style, au premier abord l'impression d'un mode de narration extrêmement laborieux s'impose. Les entrecoupements qui en résultent, ont leur effet de désorientation: ce n'est qu'après coup qu'ils montrent leur rôle bien défini.

Les precédés de la composition qui créent souvent une illusion de mouvement intrépide, augmentent également la complexité de la structure narrative. Qu'on pense seulement aux divers modes de suspension: suspension qui provient d'un ton impatient à cause des choses embêtantes et rebattues et qui provoque l'attente de quelque chose qui fera sauter la routine, suspension par l'intro-duction de motifs qui au premier abord, se perdent dans un groupe thématique d'une portée contraire mais qui, ensuite, s'imposent par leur accumulation autour d'une même donnée de plus en plus intrigante, suspension par l'arrangement des motifs qui anticipent tout clairement, c'est-à-dire avec des contours nets du connu et de l'inconnu, sur les faits choquants du final, suspension par l'inter-ruption des aventures au moment de tension maximale, suspension enfin par le démasqué de fausses anticipations, d'où naissent de nouveaux secrets.

L'impression d'ensemble de la nouvelle de Puškin peut être celle d'une structure compliquée mais les parties en sont souvent très claires. Claire la langue, clair aussi le fil des aventures, malgré les digressions, malgré les complexités qu'apportent les narrateurs avec leur impuissance d'interprétation ou leur mauvaise foi. Et clairs encore les "trucs" de Sil'vio, claire la naïveté du narrateur de l'encadrement, claire l'objectivité un peu étonnée du comte. Clair enfin est le symbolisme. La complexité repose sur des éléments qui se détachent très nettement.

L'illusion d'une certaine profondeur est provoquée par l'irréductibilité du héros à aucun des points de vue énoncés, ni à la perspective romanesque du narrateur de l'encadrement, ni aux suggestions d'impitoyable vengeur de Sil'vio lui-même, ni à celles, mélangées, de vengeur tantôt effrayant, tantôt noble, tantôt ignoble, dans le récit du comte. Le symbolisme de plusieurs situations parallèles oriente le lecteur sur une simple valeur humaine, qui résout en quelque sorte les contradictions, qui est riche en nuances et qui donne à la mort de Sil'vio un surprenant relief.

Nous avons parlé de l'aspect léger des entrecoupements. La légèreté s'infiltre partout où apparaît le sourire ironique de l'auteur implicite. Il se fait sentir derrière l'échafaudage des narrateurs peu sûrs ou de mauvaise foi. Il est léger, Sil'vio, par les beaux effets à son goût et les tricheries pour se déguiser. Légers, le narrateur naïf, avec ses opinions romanesques, le comte avec son objectivité étonnée sans aucun couci des mots et scènes qui sentent le mélodrame. Léger, le portrait de Sil'vio, qui résulte de ces formes narratives incertaines. Léger, le jeu badin, avec les variations sur le motif du tir, détaché du cadre dramatique. Léger, le contraste entre le comportement de Sil'vio et celui du narrateur de l'encadrement vis-à-vis du comte. Des nuances légères s'ajoutent aux thèmes personnels du narrateur-compagnard, aux préparatifs répétés du tir dans le récit du comte, aux effets finaux. La légèreté colore les orientations fallacieuses, le symbolisme, les scènes plus turbulentes.

Le *Coup de pistolet* est une nouvelle où tous les procédés sont coordonnés pour créer le tour de force artistique d'un récit rapide et entrecoupé, d'une histoire claire et complexe, d'un ouvrage léger et profond.

A. G. F. VAN HOLK

A Semantic Discourse Analysis of The Coffin-Maker

1. INTRODUCTION

In contemporary literary analysis the common search for adequate methods of describing and formally representing the literary structure of texts appears to be chiefly dominated by two concurrent trends: on the one hand, a renewed interest in language universals,[1] as well as in the possibility of a componential analysis of meaning;[2] on the other hand, the endeavour to extend linguistic analysis to units larger than the sentence.[3] Thus the problem of arranging the lexical meanings of a text into "topics" and "comments"[4] — a problem which figures among the immediate tasks facing the

[1] Many fascinating contributions can be found in *Universals of Language*, ed. J. H. Greenberg (Cambridge, Mass., 1963).

[2] Edward Herman Bendix, *Componential analysis of general vocabulary, The semantic structure of a set of verbs in English, Hindi, and Japanese* (The Hague, 1966).

[3] Among the first attempts at a distributional analysis of a complete text are the well-known papers by Harris, now to be found in Zellig S. Harris, *Discourse Analysis Reprints* (The Hague, 1963).

[4] Walter A. Koch, "Preliminary Sketch of a Semantic Type of Discourse Analysis", *Linguistics* 12 (1965), p. 12; the notions in question have already been used in traditional sentence analysis; see esp. Charles F. Hockett, *A Course in Modern Linguistics* (New York, 1960), pp. 201ff.

student of literature — leads to a conception of literary structure as a semantic pattern invariant under translation, and consequently to be stated in terms of UNIVERSAL, distributionally defined semantic categories, such as 'person' vs. 'inanimate object', 'motion' vs. 'rest', 'location', 'time', and many more. Yet such categories will never exactly fit the lexical elements entering a topic, unless these elements have been subjected to some form of componential analysis; and conversely, if we wish to consider the sentences of a 'text' like *The bag was too heavy, she was not able to lift it* as lexically connected, this will mean that we extract from the words *heavy* and *lift* a common semantic component of 'verticality'. For the student of literature, however, the problems indicated all condense into the basic theoretical tenet claiming that "linguistic structure ... does not stop at the sentence level"[5] and the ensuing task "to discover the structural patterns the matrix of which is larger than the sentence and the entities of which comprise more than subject, verb, object, etc."[6] The facts which induce us to consider this problem seriously are well known: suffice it to recall the identifying function of proper names, which may encompass the text of an entire novel, and the grammatical function of tense and mood markers which may extend over pages of quoted speech. Linguistic elements functioning at the level of the text are seen to convey literary information, with personal nouns and pronouns identifying literary characters, verbs of motion regulating the stream of narrated events, and adjectives describing the hero's state of mind or local adverbs combining throughout the text to depict a landscape; and even the conventional nature of the linguistic sign reappears in the thoroughly conventional nature of the literary sign,[7] imposing upon reality its linguistically determined configurations of 'persons' performing 'actions' on 'objects' at a given 'place' and 'time'.

In this paper we propose to examine some of the problems connected with the *arrangement of topics* within literary entities such as

---

[5]   Kenneth L. Pike, "A guide to publications related to tagmemic theory", *Current Trends in Linguistics* 3, "Theoretical Foundations" (The Hague, 1966), p. 372.

[6]   Koch, *op. cit.*, p. 5.

[7]   See Victor Erlich, *Russian Formalism, History — Doctrine* (The Hague, ²1965), pp. 190, 206.

an episode or a personage. The methodological basis of this investigation may be summed up as follows.

(1) The lexical meanings occurring in a text are united into *topics* on account of their RECURRENCE[8] in the given text; this seems to be the only way to sever the relevant semantic features from the irrelevant ones, which serve only syntactic and stylistic purposes.

(2) The relations between topics are supposed to be of the same type as those between the lexical elements within a sentence. These relations are ascertained by a distributional analysis of the expressions containing them. Thus, say, the 'character' and 'profession' of a hero will be related in much the same way as the nouns which serve to indicate these features. Indeed there seems to be no reason for regarding the semantic structure of a text as fundamentally different from that of a single sentence: it is essentially the 'deep structure'[9] of a linguistic unit of arbitrary length.

Our approach in general owes much to the semantic discourse analysis outlined by Koch in recent studies;[10] the present investigation, however, does not deal so much with the fundamental linguistic problems underlying literary analysis, but rather sketches a preliminary attempt at describing the arrangement of topics within a limited text, for which we have chosen the third of A. S. Puškin's *Tales of Belkin*, called *The Coffin-Maker*.[11] Although our choice was originally wholly arbitrary, in the course of our investigation this text with its relatively simple plot and conventional characters proved quite suitable for our present purpose.

2. COMPOSITIONAL AND STYLISTIC DEVICES EXPRESSING THE NARRATOR'S ATTITUDE

The content of our text is the story of the coffin-maker Adrijan

[8]   Koch, *op. cit.*, p. 5.
[9]   Two excellent introductions to generative grammar in Dutch are W. J. M. Levelt, "Generatieve grammatica en psycholinguistiek I, Inleiding in de generatieve grammatica", *Ned. Tijdschr. Psych.* XXI (1966), pp. 317-337 en H. Schultink, "Transformationeel-generatieve taalbeschrijving", *De Nieuwe Taalgids* 60 (1967), pp. 238-257.
[10]   See esp. Walter A. Koch, *Recurrence and a three-modal approach to poetry* (The Hague, 1966).
[11]   The edition used in this paper is A. S. Puškin, *Sočinenija v trech tomach*, Izd. "Chudožestvennaja Literatura" (Moskva, 1964).

Prochorov, who has been challenged at a party to drink the health of his 'clients'. Coming home drunk, he swears to invite them to his dwelling, to show the world his profession is no less honest than anybody else's, and falls asleep. Soon after, he is called upon to take care of the burial of the rich merchant's widow Trjuchina, but on his return he finds his house full of macabre guests, in whom he recognises the skeletons of people buried by him during his lifetime. Old Kurilkin reminds the coffin-maker how he had sold him a fir-wood coffin for one of oak, and when he stretches out his bony arms to embrace him, Prochorov pushes the dead body away in horror; the other skeletons throng around him to revenge their comrade, and Prochorov falls down himself insensible. The next day, he awakes to learn from the housemaid it had all been a horrid dream.

Now this trivial story constitutes only the factual core, the 'fable' (*fabula*) in Formalist terminology,[12] of our text; its literary value lies in the artistic devices (*priemy*) by which the fable is transformed into a 'plot' (*sjužet*), i.e. the content of the text with its specific literary structure. Èjxenbaum in our opinion hits the point when he discovers in *The Coffin-Maker* a "play with the fable", performed by means of a "false motion" such that "the solution brings us back to the moment when the fable started, and annihilates the fable by transforming the narration into a parody".[13] The parody in question aims at the romantic *Greuelgeschichte*, which was fashionable in Puškin's time, by resolving the macaber party at the coffin-maker's, right at its climax, into the trivial reality of Prochorov's everyday-life of cleanliness, diligence, love of money, a little cheating, and drinking tea with his daughters and the housemaid.

The narrator's parodistic intention further manifests itself in repeated references to contemporary authors and the literary fashion of the time. Thus in the episode describing Prochorov's character, the narrator distantiates himself from Shakespeare and Scott, who represented their grave-diggers as jolly people, *in order thereby to stir our imagination*, and proceeds to state that his *esteem of truth* prompts him *to admit that the character of our coffin-maker*

---

[12] Erlich, *op. cit.*, pp. 240-242.
[13] Boris Eichenbaum, *Aufsätze zur Theorie und Geschichte der Literatur* (Frankfurt/Main, 1965), p. 97.

perfectly corresponded to his sombre profession. A little later, when the coffin-maker and his daughters leave the house to attend a silver wedding-party at the shoe-maker's, the narrator again interrupts with a reference to the contemporary novellists' penchant for lengthy digressions on their heroes' clothes; yet he considers it *not superfluous to observe that both maidens had put on yellow hats and red shoes, which happened with them only on ceremonial occasions.* In the passage where the Finnish watchman Jurko is introduced, the narrator refers to the hero of Pogorel'skij's novel,[14] and in describing the watchman's martial appearance he quotes from a contemporary romantic poem.[15] These "auctorial"[16] interruptions confer upon the figure of Jurko the function of a vehicle of the narrator's ironic attitude — a function that may well compensate for the somewhat unclear role of the watchman in the 'fable'.

Beside these references to contemporary literary fashion the narrator's attitude is conveyed by the recurrent use of humoristic descriptions; thus at the wedding-party the German guests drink to the health of *Moscow and a whole dozen German townlets*; after the party, when the guests go home in high spirits, the bookbinder's face appears *in a reddish saffian cover*, and when they help the watchman reach his sentry-box, they are said *to observe ... the Russian proverb 'one good turn deserves another'.*

Finally, in support of these humoristic constructions the repeated use may be mentioned of words with an archaic or bookish flavour, such as the demonstrative pronoun *sej, devica* in reference to the girls, and *svetlica* in reference to their room.

The narrator's attitude conveyed by these compositional and stylistic devices is, like any attitude, a RELATION between substantival entities, in this case between the narrator and the events or persons in the narration. This attitudinal relation may accordingly

---

[14] Antonij Pogorel'skij (pseud. of A. A. Perovskij), *Lafertovskaja makovnica* (1925); cf. A. S. Puškin, *Polnoe sobranie sočinenij* (Moskva-Leningrad, 1936), tom IV, pp. 722-723.

[15] A. E. Michajlov, *Dura Pachomovna*; cf. Puškin, *Polnoe sobranie sočinenij, loc. cit.*

[16] See for this notion J. van der Eng, *Tolstojs novelle "De Dood van Ivan Il'ič", Aspecten van de compositie en de taal* (Den Haag, 1965), p. 9, and the literature quoted there.

be resolved into two largely independent components: a static, timeless relation between the narrator and the individual persons of the narration, and a dynamic relation, involving time, between the narrator and the development of the narration itself, c.q. the *denouement* of the 'fable'.

These relations bear a striking resemblance to the attitudinal network within a single sentence. If we describe the sentence, conforming to A. W. de Groot,[17] as a combination of two functional layers, one comprising the word material with its predominantly referential function, the other the intonation contour conveying the speaker's attitude towards the *denotata* of the word material, we immediately notice that the narrator's attitude towards the 'fable' of the text corresponds to the speaker's attitude towards the things-meant of the words. Within the sentence there also exists a clear-cut distinction between static attitudinal features, such as are expressed by the diminutive suffix in nouns (*gorodok* in ... *pili zdorov'e Moskvy i celoj djužiny germanskich gorodkov*, and *krasnen'kij* in ... *koego lico kazalos' v krasnen'kom pereplete*) and dynamic attitudinal features expressed mostly by moods of the verb and modal particles.[18]

3. CONSTITUENT ANALYSIS OF THE TEXT.

Having singled out the features characterising the narrator's attitude from the total content of the text, we may now proceed to examine the semantic structure of the 'plot' proper: the arrangement of topics within the text.

Studying the text as a syntactic unit, a unit of linguistic expression differing from the sentence only by its greater length and complexity, our first concern will be to ascertain the hierarchy of its constituents and their semantic interdependences. As a convenient starting point we take the division of the text into paragraphs, as proposed by the author. It is easily verified that this division corresponds everywhere to a partitioning of the content into episodes;

---

[17] A. W. de Groot, *Inleiding tot de algemene taalwetenschap, tevens inleiding tot de grammatica van het hedendaagse Nederlands* (Groningen, ²1964), pp. 50ff.
[18] A. G. F. van Holk, "Referential and Attitudinal Constructions", *Lingua* XI (1962), p. 170.

in other words: the boundaries between paragraphs are everywhere paralleled by a more or less abrupt break in the sequence of narrated events; in some cases, paragraphs may be subdivided into minor constituents. Here follows a brief survey of the pertinent facts, showing the unity of content for each paragraph.

A. The coffin-maker's removal; description of the furniture
B. 1. Description of Prochorov's character, with reference to Shakespeare and Scott
   2. Prochorov's meditation on the eagerly desired decease of the rich widow Trjuchina
C. The shoe-maker's visit: his invitation to attend his silver wedding-party; ensuing conversation on the interlocutors' professions
D. The next day, the coffin-maker and his daughters set out to the shoemaker's; description of their clothes
E. The party at the shoe-maker's; description of guests, especially of watchman Jurko; drinking the health of the *Kundleute*; Prochorov feels offended when invited to drink the health of his clients
F. The guests go home, supporting each other; Prochorov returns angry and drunk, swearing to invite the dead bodies of his clients to celebrate his removal, and falls asleep
G. Prochorov's dream:
   1. Trjuchina's burial
   2. Prochorov meets Jurko on his way home
   3. Party of the ghosts at Prochorov's
H. Prochorov awakes in his own bed; *denouement* of the dream

Some of the paragraphs may be compounded into larger constituents. Thus the paragraphs D, E, and F represent the three successive episodes of the party at Šul'c, separated from what goes before by the time reference at the beginning of D (*na drugoj den'*, ...) initiating another day, and from what follows by the hero's falling asleep (*zachrapel*). The paragraphs A and B are interconnected by the coffin-maker's tea-drinking, with the description of his character as an intercalated episode, which remains outside the course of events (although it does occupy a definite interval of the observer's time, as appears from the statement *drinking his seventh cup of tea*). Paragraph C explicitly interrupts the last events of B, Prochorov's meditations (*sii razmyšlenija byli nečajanno prervany*), and introduces a new personage, Šul'c the shoe-maker, whose invitation to attend the wedding-party is the starting point for the events to follow, ultimately leading up to the dramatic climax and its trivial solution. Thus C clearly functions as a transitional and preparatory episode.

The removal-episode — the exposition[19] — seems to anticipate the local setting of the events to follow, to point out the hero's uncanny attributes accompanying him on his removal, and, most important, to give a *retrospective view* of the hero, presenting him as an old man (*staryj grobovščik*), with a 'past' as it were, whose imagination had long been stirred by the little yellow house over whose threshold he is now passing, without feeling pleasure.

Among the paragraphs from D through which form the main body of the text, G occupies an exceptional place, since the events related there turn out to have occurred only in the coffin-maker's excited imagination. This whole episode may be regarded as the OBJECT of a *verbum declarandi* or *sentiendi*, such as *dreaming*, to be conjectured from the last paragraph, in particular the housemaid's words:

— Why, man, did you lose your senses, or are you still in your cups since yesterday? What burial are you talking about? You have been carousing all day with the German, you came home drunk, rolled into your bed, and have been sleeping until this moment that the bells are already ringing for mass.

The results of our analysis so far may be represented as in Fig. 1:

---

[19] Cf. J. van der Eng. *Novellistische vernieuwingen van Anton Čechov* (Den Haag, 1961), p. 13-14.

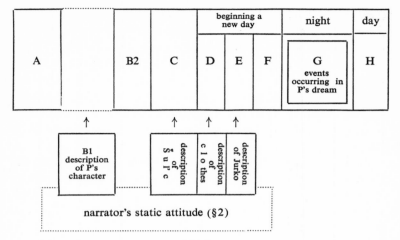

Fig. 1.

4. SEMANTIC STRATIFICATION

Continuing our exploration of the semantic structure of the text, we notice first the frequent recurrence of TIME REFERENCES at the beginning or end of a paragraph. The expressions we have in mind are *shifters*,[20] which refer the narrated events to an independent time perspective, a succession of time intervals, such as day and night (cf. Fig. 1). Here are the relevant instances:

beginning of D   *Na drugoj den', rovno v dvenadcat' časov,* ...

end of E   ... *i uže blagovestili k večerne, kogda vstali iz-za stola*; with reference to the ecclesiastic timetable, as at the end of H

beginning of F   *Gosti razošlis' pozdno* ...

beginning of G   *Na dvore bylo ešče temno, kak Adrijana razbudili*; we interpret *temno* as an indication of time, similar to expressions like *noč'ju, v noč,* etc.; cf. *luna* and *solnce* below.

[20] Roman Jakobson, *Shifters, Verbal Categories, and the Russian Verb* (Harvard University, 1957), and esp. Uriel Weinreich, "Explorations in semantic theory", *Current Trends in Linguistics* 3, "Theoretical Foundations" (The Hague, 1965), § 3.222 (on delimitation).

beginning new epi- sode of G: meeting with Jurko	*... k večeru vse sladil ... Noč' byla lunnaja.*
end of the same episode	*Bylo pozdno.*
beginning description of party at Prochorov's	*Komnata polna byla mertvecami. Luna skvoz' okna osveščala ich želtye i sinie lica ...*
beginning of H	*Solnce davno uže osveščalo postelju, na kotorom ležal grobovščik.*
towards the end of H	*... da i spal do sego časa, kak už k obedne otblagovestili*; again with reference to the ecclesiastic time table.

As can be gathered from this material, these time determiners serve to some extent as BOUNDARY SIGNALS (*Grenzsignale* in Prague school terminology), marking the beginning or end of a constituent (paragraph or other unit) in much the same way as a time marker within the frame of a single sentence. The salient syntactic property of adverbs of time in a sentence is their maximum lexical independence of the remaining sentence content, a fact which leads us to single out such adverbs first in the derivation of the sentence structure. Expressions containing several adverbs, e.g. *they travelled home by train yesterday,* will be described by branching diagrams like

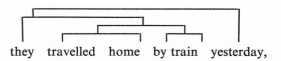

they   travelled   home   by train   yesterday,

showing the peripheral position of the time determiner; in a more general way, this diagram may be represented as follows:

time marker	remaining part of sentence

The fact that there are no higher-ranked determiners (apart from modal-attitudinal determiners, whose semantic function converges with that of sentence intonation; cf. section 2, last paragraph) automatically confers upon these expressions a boundary-marking function. This is also true of larger units, as we have seen, although the time marker here may itself assume the form of a sentence: thus *bylo pozdno* instead of *pozdno*.

The preceding observations about the textual function of time suggest a similar approach to other types of determiners, occupying a lower rank in the semantic hierarchy of the sentence. Considering now that the nucleus of the remaining part of the sentence (in the general diagram above) is formed by a finite verb expression (normally in conjunction with one or more nominal expressions in the positions of subject, object, etc.), we are by analogy led to suppose as the nucleus of any unit larger than the sentence the string of finite verb expressions describing the main axis of successive events of the plot. Now these events will usually be described against the background of some relatively stable process or unchanging scenery (say, a landscape under fixed weather conditions, a room with guests celebrating a feast, as in paragraph E of our text, etc.). and the opposition between single events in succession and stationary background conditions is precisely the major function of the category of ASPECT (which can be easily formulated in terms of 'universal' grammar): thus the single events in succession will be normally expressed, in a language like Russian, by a perfective verb, while the background conditions will be described by a verb of imperfective aspect.

To sum up, then, it appears that in a given situation the breaks and sudden interruptions, adding fresh information along the 'action' line of the text, are in general conveyed by verbs of perfective aspect, possibly in conjunction with an adverb of perfective aspect like *vdrug* 'suddenly', or *nečajanno* 'unexpectedly', while the stationary situations themselves, including the line of time as sheer duration, are typically described by means of imperfective verbs and adverbs. We conclude that, in the semantic stratification of a text, aspect follows in structural rank upon time, exactly as within the sentence.

On subtracting from the total sentence content all those components of meaning expressed by either time or aspect markers, we encounter a still more central functional layer of sentence structure, which cannot be further resolved into functions with independent syntactic expressions. This layer is found to consist of the entire network of inter-nominal relations on one side, and of another network of noun-verb relations. If this relational network is reduced to its 'deep structure' for each sentence, it is found to be independent of the particular form of sentence containing it; thus the complex relation of 'selling', when stripped of the 'surface' difference between 'active' and 'passive', will be expressible by sentences like

> *he sold her a coffin*
> *the coffin she was sold*
> *he was about to sell her a coffin*
> etc.,

and, when stripped of the 'deeper' difference between *selling* and *buying*, also by sentences like

> *she wanted to buy a coffin from him*
> etc.

Since these relations are denoted by units smaller than the sentence, and even smaller than the phrase in the last case, they may be equally well expressed by fragments of text which belong to different, c.q. successive, sentences. It follows, then, that these relations may involve lexical elements as their *relata* which are scattered over an entire text.

From this functional layer of noun-noun and noun-verb relations several sub-networks can be isolated, such as

(1) interpersonal relations: the coffin-maker as neighbour and colleague of the shoe-maker, as the father of the girls Akulina and Dar'ja, and as the furnisher of coffins to various people;
(2) person-object relations: e.g., between the coffin-maker and his belongings (*požitki*, mentioned in the first line of A) and products (*groby vsech cvetov*, A, and elsewhere);
(3) local relations: e.g., the relation of 'dwelling' between Prochorov and his house, the relation of 'temporary stay' between Prochorov and the shoe-maker's house, and the more complex local relation of 'transient state' between Prochorov sleeping

and his bed, or Prochorov sitting and the window of his room
(*i tak Adrijan, sidja pod oknom* ... and *Adrijan* ... *sel u okoška,*
etc.);

(4) relations of motion: Prochorov's removal, Prochorov going to
the wedding-party, driving to Trjuchina's funeral, walking home
again through moon-lit Moscow;

(5) position of the body: Prochorov sitting near the window, at the
festive meal, Prochorov falling insensible, lying on his bed;

(6) action of eating and drinking: Prochorov drinking tea under
his window, inviting Šul'c for a cup of tea, eating and drinking
beer at the festive meal, drinking champagne and getting
drunk (resultative phase of verb of consumption);

(7) mental activity: Prochorov feeling sad on crossing the threshold
of his new home, Prochorov meditating about Trjuchina's
death.[21]

With respect to the way these relations occur in our text it may be
first remarked that we have selected on purpose mostly such relations as acquire, by virtue of their recurrence in the text, the status
of *topics.*

Further, in trying to establish the interplay of these topical relations we notice that their arrangement seems to be governed by
some sort of hierarchic principle, such that, for a given person at a
given moment of the narration, more 'abstract' activities presuppose less 'abstract' ones, if by 'abstract' we understand the capacity
of a verb (or other word class) to take a clause or an equivalent
noun as its direct object. Thus, from this point of view, the class of
verba dicendi vel sentiendi will occupy the top rank in the abstract-
concrete scale, while verbs of motion and expressions of local
relations will occupy the lowest position.

The ideas developed above may be applied now to the description
of the coffin-maker in paragraph B, second episode. The momen-

---

[21] In our text the verbs of 'mental action' frequently occur superordinated to
verbs of 'local action', e.g. *Približajas' k želtomu domiku ... staryj grobovščik
čuvstvoval s udivleniem, čto serdce ego ne radovalos'* and *Perestupiv za nezna-
komyj porog i našed v novom svoem žilišče sumatochu, on vzdochnul o vetchoj
lačužke ...* (A), *I tak Adrijan, sidja pod oknom i vypivaja sed'muju čašku čaju,
po svoemu obyknoveniju byl pogružen v pečal'nye razmyšlenija* (B).

tary state of Prochorov meditating over his tea about his losses and hopes of compensation may be analysed into four relational components, as follows:

(1) Prochorov at rest in his house, after the removal
(2) Prochorov sitting near the window
(3) Prochorov drinking tea
(4) Prochorov meditating

The first and last components correspond here to the extreme opposites of the abstract-concrete scale, inasmuch as the most exclusively local relation between Prochorov and his house — the relation of 'dwelling' mentioned above under type (3) — is the one least of all permitting the combination with a clause as a direct object; this can be illustrated on such syntactic ambiguities as D. *hij rekende op het bord*, meaning either 'he was calculating on the blackboard' or 'he trusted the blackboard': in the last case, the verb *rekenen* can also take a clause as object, giving an expression of the form *hij rekende erop, dat* ... The diathetic relation of 'sitting', of type (5), is effectuated by parts of the body, figuring in expressions like *sitting on one's knees, lying on one's back, standing on one's feet* (or *head*), and so on, objects which are decidedly more personal and also, therefore, more suitable to serve as expressions of 'signs' and 'signals' than objects like chairs, houses, countries, and so on; thus *to kneel* may be a sign of devotion, *to turn one's back on somebody* may be a sign of scorn, *nodding the head* a sign of approval, and so on; likewise, the verbs *sitting, standing, lying* themselves may serve as signs of attitudes, like *standing about* for 'loitering', *lying on one's bed* for 'laziness', and *sitting quiet* for a 'pensive mood', as in the case of Prochorov. Finally, the act of drinking tea, a relation of type (6), in our example serves as the immediate inspiration for thinking and meditating, while in paragraph C it activates, induces, and sustains the conversation between the neighbours; more than that, the act of drinking in paragraph E leads over into drinking people's health, where the verb *pit'* takes the abstract noun *zdorov'e* for its object (*pili zdorov'e Moskvy* ...), which noun appears to be equivalent with clauses in direct speech like *za zdorov'e moej dobroj Luizy* (the toast uttered by the shoe-maker).

The hierarchic arrangement established above for the four simultaneous components of Prochorov's momentary state manifests itself more directly in the relative order and the relative permanence or extension of the components concerned. Thus in our text the relation between Prochorov and his home extends farther — is more permanent or extensive — than the one between Prochorov and his sitting position, or between Prochorov and his chair; and in the order of narration the removal indeed precedes the interval of sitting at rest near the window.[22] The latter state in turn is reached before the commencement of drinking, since the hero sits down before ordering the housemaid to prepare the samovar: ... *sel u okoška i prikazal gotovit' samovar.* Finally, the state of drinking in turn precedes the state of thinking, and this last state is also the first to be interrupted by external action: *sii razmyšlenija byli prervany nečajanno tremja franmasonskimi udarami v dver'*; the knocks at the door bring the narration back from the high level of abstraction represented by Prochorov's meditations to the much lower level of the shoe-maker's entering the room — within the given text this is the one-but-lowest level, the lowest being represented by motion from house to house, as described in paragraph D.

The semantic stratification of our text may be represented as in Fig. 2 below. This representation is not meant to be complete: thus the shoe-maker's visit (episode C) has not been analysed into levels. A further remark concerns the LENGTH of the levels, which might be erroneously taken to be proportional to the duration of the corresponding situations. In the semantic stratification of a text this feature probably is not an independent variable of narrated events. On the other hand, the fact that some levels are likely to be longest in any text may well be significant, and somehow indicative of their semantic content.

[22] In quite a few instances, the order of narration in a paragraph or other constituent part of the text is such that the order of events at the end mirrors the order at the beginning, under due reversal of the directivity of the actions. Thus if a person comes into the room at the beginning of a paragraph, he is frequently shown to leave it at the end — such actions being precisely those which signal the boundaries of a paragraph as a semantic structure. Thus in C we find a pattern of order that may be roughly represented by a formula like *entering (invitation (sitting down (dialogue) getting up) repeated invitation) taking leave.*

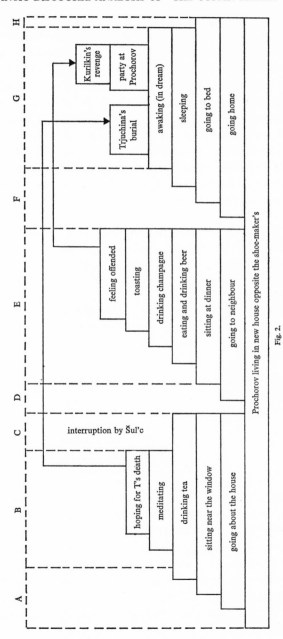

Fig. 2.

Arrows indicate thematic connections between motifs; see § 5.

In what went before, the semantic information of the text was all arranged about the hero Prochorov as the vehicle of the theme of the narration, including the passages in which the coffin-maker rather figures as the undergoer of actions (as in the shoe-maker's visit) or as the receiver of messages (Jurko's offense, Kurilkin's threats). Thus we might have divided all Prochorov's narrated situations or states into an 'active' and a 'passive' set. But we might as well have selected as a vehicle of the theme one of the other persons of the narration, or even an inanimate object. Agreeing upon the last choice, we find that, on the whole, to each of Prochorov's situations there corresponds a characteristic object or 'attribute'. A few of these are collected in Table 1 below.

TABLE 1

	A B	... D	E	... G
1	hearse; new house			
2	coffins	kaftan	neighbour's	streets of
			apartment	Moscow
3	window		table	
4	tea		beer	
5	thoughts		champagne	
6	Trjuchina's death		toast	
7			object of	
			offense:	
			professional	
			honour	

On closer inspection, the set of levels for an arbitrary object, i.e. for the grammatical category of inanimate nouns, appears to differ from the possible states of a grammatical person in one characteristic respect, which regards the different relations of these entities to such events as are expressed by a *verbum dicendi*: while an inanimate noun in its most abstract state will be the instrument of a message (e.g. a word), a personal noun may figure either as the receiver, source or outsider of a message, or simply as the object of an auctorial descriptive statement. In general, then, there seems to be a close interconnection between the grammatical category of the vehicle of the theme of a text and the configuration of semantic levels generated by it in the course of events.

5. ON THE INTERNAL STRUCTURE OF LITERARY CHARACTERS

The Formalist approach to literary characters, when stripped of its one-sided preoccupation with artistic 'devices' and its supreme disregard of 'motivation',[23] retains much that poses a challenge to the linguist, but so far has not received due attention. Thus, where Formalist poetics depicted the literary hero as a "by-product of the narrative structure", representing as such a "compositional rather than a psychological entity",[24] such a view will be welcomed by anyone concerned with tracing the structural connections leading from literary personage to grammatical person. Looking at the characters of our short story from the angle of 'motivation', we shall be prepared to construe its hero Prochorov, if not as "a pretext for the 'unfolding of the action'",[25] yet, in a similar spirit, as a vehicle of narrated actions, a complex grammatical person tied to the plot by grammatical "linkages".[26] Again, the Formalist concern with compositional patterns and Propp's method of 'morphological analysis'[27] will stand us in good stead when dissecting the plot into its basic narrative units, the *motifs*.[28] The motif, or "the archetypal literary situation",[29] will be seen here as a conventional meaningful unity of some portion of narrated reality and its linguistic expression in texts, conveying a semantic value which arises, as with the linguistic sign, from the cooperation of contextual and inherent semantic functions. By the *theme* of a text we shall understand, as usual, the sum-total of meaningful connections between the motifs

[23]   Erlich, *op. cit.*, p. 249.
[24]   *Op. cit.*, p. 241.
[25]   *Op. cit.*, p. 245.
[26]   In the sense of Tolstoj's *labirint sceplenij*; cf. Erlich, *op. cit.*, p. 241.
[27]   V. Propp, *Morphology of the folktale* (Philadelphia, 1958) (English translation from the Russian original by Laurence Scott).
[28]   Erlich, *op. cit.*, p. 240.
[29]   *Ibid.*

as they figure in the text.[30] Consider, for example, the information on Prochorov contained in parts B and C of our text. Prochorov's initial situation — the one with the largest extension in parts B and C of the text — was seen to show the hero in his relation to the outside world, i.e. in his 'lowest', least 'abstract' state. We take this initial state of the hero to determine the basic semantic value of the Prochorov-motif as it appears in this fragment of our text; the portion of narrated reality is here the literary character in question, and the linguistic expressions used to refer to it inform us about the internal structure of this character. The more elementary information about Prochorov goes to show that the motif in question is a *grammatical person*, with an identity due to the *identifying function* of the proper name expressions *Prochorov, Adrijan, Adrijan Prochorov*,[31] and others, with the lexical status of a *personal noun*, and with the grammatical status of a *subject* or *personal object* in any actual linguistic context. The contribution of this motif to the THEME of our fragment is the set of semantic values assumed by the motif when subjected to the compositional devices (*priemy*) of the author of the text. As shown in the preceding section, the semantic levels determining the successive changes in the value of our motif, form a well-ordered set, and the maximally 'abstract' level for any given fragment, such as Jurko's offending Prochorov's professional honour at the wedding-party, contributes to the thematics of the text as a whole, as this event leads over to the next fragment (part F) and, through it, even to the dream (part G), as indicated in Fig. 2.

To illustrate our method of character-analysis, let us first examine the information about Prochorov's daughters Akulina and Dar'ja. Since this information everywhere bears on the two girls alike, we must consider them one person, though of *dual identity*, i.e. each endowed with the property of belonging to a group of two.[32]

The passages referring to Prochorov's daughters are the following:

---

[30]   B. Tomaševskij, *Teorija literatury* (Moskva-Leningrad, ⁴1928), p. 3.

[31]   Cf. René Wellek and Austin Warren, *Theory of Literature* (Penguin Books, ³1966), p. 219, where we read: "The simplest form of characterization is naming".

[32]   Cf. the use of *oba* in … *branit' obeich svoich dočerej* (A) and … *obe devicy nadeli želtye šljapki* … (D).

1. *(Prochorov)* ... *stal branit' obeich svoich dočerej i rabotnicu za ich medlennost' i sam prinjalsja im pomogat'* (A)
2. *Devuški ušli v svoju svetlicu* (A)
3. *(Prochorov)* ... *razrešal molčanie razve tol'ko dlja togo, čtoby žurit' svoich dočerej, kogda zastaval ich bez dela glazejuščich v okno na prochožich* (B)
4. ... *ja prošu vas i vašich doček otobedat' u menja po-prijatel'ski* (C)
5. ... *grobovščik i ego dočeri vyšli iz kalitki* ... *i otpravilis' k sosedu* (D)
6. *Ne stanu opisyvat' ni russkogo kaftana Adrijana Prochorova, ni evropejskogo narjada Akuliny i Dar'i* ... *Polagaju, odnakož, ne izlišnim zametit', čto obe devicy nadeli želtye šljapki i krasnye bašmaki, čto byvalo u nich tol'ko v toržestvennye slučai* (D)
7. ... *dočeri ego činilis'* (E)
8. ... *Ne chodjat li ljubovniki k moim duram?* (G)
9. — *Nu, koli tak, davaj skoree čaju, da pozovi dočerej* (H)

Looking first at the various constructions which manifest a relationship between personage and event, we find these to be of FOUR distinct types:

I. the girls figure as the recipients or targets of a message, e.g.
 . *čtoby žurit' svoich dočerej, stal branit' oboich svoich dočerej,* or as the potential objects of love in *Ne chodjat li ljubovniki k moim duram?*;

II. the girls are depicted in an intransitive state of motion (*ušli, vyšli*) or lack of motion: *stal branit'* ... *dočerej za ich medlennost', zastaval ich bez dela glazejuščich* ...;

III. the girls figure as observers in a state of curiosity: *glazejuščich v okno na prochožich*;

IV. the girls are depicted as carriers of a 'proper' object (such as shoes and hats): *obe devicy nadeli želtye šljapki i krasnye bašmaki.*

Some fragments refer to the girls in two of these functions simultaneously: thus *pozovi dočerej* represents the girls as potential recipients of a message, and also as potential performers of motion; likewise the significant passage with *činilis'* 'give oneself airs' depicts

the girls both in a state of inertia (as Russians they cannot partici-
pate in the German conversation) and in a reflexive state of 'putting
on' something, namely 'airs'; the significance of this passage is
precisely due to the 'abstract' level of this object, and the ensuing
relevance for the thematics of the text as a whole.

The girls Akulina and Dar'ja represent what seems to be the
simplest type of a literary character, i.e. of a personal composite
motif. One typical feature of such a motif is that it figures in the
text as endowed with certain *traits of character*,[33] and so functions
as a vehicle of character description by the author; these traits,
moreover, remain unaltered throughout the text. A second fundamental feature is the presence in these motifs of a centre of *personal
activity*, which is, together with the first-mentioned feature, respon-
sable for the possibility to use expressions referring to a personage
as the agent or goal of a *verbum dicendi* or *observandi*, as in *on
skazal, čto* ... and *emu kazalos', čto* ..., and as the agent of causative
verbs, as in *on zastavil ich rabotat'*. This centre of activity further
comprises the lexical features of the words and phrases referring to
the girls. Beside the two lexical features of grammatical person
mentioned above in connection with Prochorov, viz. 'noun' and
'personal', we find several more lexical features inherent in the
words and phrases referring to the girls: from the numeral *obe* in
obe devicy we extract a feature of 'group membership'; from *dоč'* the
feature of 'definiteness' (the girls are in the demonstative field of
their father who refers to them as *dоčeri* in *pozovi dоčerej*, omitting
svoj because the definiteness is implicit in the word *dоč'*); from the
diminutive in *prošu* ... *vašich dоček* and from the words *devuška* and
devicy we obtain a feature 'young', which in the text has the status
of a 'constant quality'; finally, the possibility, referred to above,
to use the expressions *devuški, dоčeri*, etc., as the agent of a personal
verb (verb of motion, *verbum dicendi*, etc.) induces us to posit a
corresponding lexical feature such as 'personal action'. The lexemes
hitherto mentioned together constitute what may be called the *core*

---

[33] Cf. Wolfgang Kasack, *Die Technik der Personendarstellung bei Nikolaj
Vasilevič Gogol* (Wiesbaden, 1957), esp. the paragraph *Zur Methode von Unter-
suchungen der Personendarstellung*, and pp. 28ff.

of the personage, while the four groups of relations I-IV discovered above represent four types of *links*[34] between personal noun and verb. The literary character of Prochorov's daughters thus turns out to consist of five basic components: the lexical core of 'personal action', and four links representing the relations between the lexical core and its grammatical context (Fig. 3). The relations appear to be pairwise opposed, as 'agent' vs. 'goal' of 'internal activity' (I, III), and as 'agent' vs. 'goal' of 'external activity' (II, IV); this arrangement may be visualised as suggested in Fig. 3.

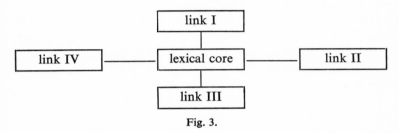

Fig. 3.

A similar analysis may be carried out to demonstrate the semantic structure of the coffin-maker. A novel feature here is the relationship of the coffin-maker to his own profession, his professional honour. The significance of this feature as a topic appears clearly from our text. Thus, for instance, the noun *grobovščik* recurs all the time to denote the hero, and all over the text we find mention made of the coffin-maker's attributes: coffins, funeral shrouds and hearse; the furniture of the house is elaborately listed, with emphasis again on the funeral attributes: the coffin-maker's products in the kitchen, the closet with funeral hats, cloaks and torches, and the sign-board representing Amor with his torch held upside-down and with its professional inscription; then the statement that his character completely fitted his sombre profession; finally, and most important of all: Prochorov appears to be quite aware of the uncanny aspects of his profession, and takes immediate offense at Jurko's joking adhortation to drink the health of his *Kundleute*; and the

---

[34] In the sense of Sydney Lamb's "stratificational grammar", see Charles F. Hockett, "Language, Mathematics, and Linguistics", *Current Trends in Linguistics* 3, § 6.5 (p. 266ff.).

words in which he defends his profession against possible insinuations are significant:

Really, — he reasoned loudly, — why should my profession be less honest than anybody else's? Does a coffin-maker stand on a par with a hangman? What are those mahometans laughing about? Has a coffin-maker anything to do with a buffoon? (F)

The basic structural feature of Prochorov's character is neatly manifested by the double-headed construction *grobovščik ... Prochorov*, showing his DOUBLE identity. This is confirmed by the passage on Prochorov's character, which is said to fit perfectly his sombre profession, so that the phrase *ugrjum i zadumčiv* refers to both aspects of his personality. We interpret this to mean that Prochorov's literary character has a *twofold* centre of personal action, each with its proper literary function: as a human being Prochorov is linked to his daughters and the housemaid (*on stal branit' ich za ich medlennost'*, and so on), as well as to the content of his dream and to the eating and drinking at the party, while as a professional he is linked to Šul'c, to his clients, and to his products.

Thus this character shows a threefold linkage to the 'human' environment, and another threefold linkage to the 'professional' environment, as represented in Fig. 4. The relations again appear to be pairwise opposed: thus links I and V, as well as links II and IV, show an opposition of 'internal' vs. 'external' action, while links III and VI exhibit an opposition between 'local' relations, in which Prochorov's own people — his daughters and housemaid — are contrasted with his neighbour Šul'c; so this is the same opposition as that between the lexical cores.

Finally, it is interesting to note that the double-headed structure of this personality gives rise to an internal modal relation between Prochorov and his profession, as illustrated above; however, this modal feature must not be included among the components of the total character, because it is not carried by any *segmental* expression, but rather by a *configuration*[35] of segmental features. In the

[35]   See Dwight L. Bolinger, "Intonation: Levels versus Configurations", *Word* VII (1951), pp. 199-210, and Uriel Weinreich, "Notes on the Yiddish Rise-Fall Intonation Contour", *For Roman Jakobson* (The Hague, 1956), p. 642.

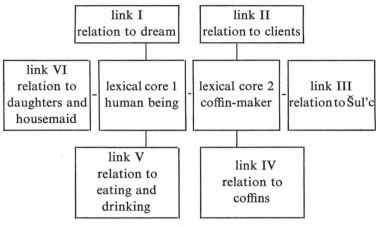

Fig. 4.

last analysis, modality can only be conveyed by sentence intonation, as indicated by the question-marks of the quoted passage, suggesting the speaker's indignation.

6. CONCLUSION

In conclusion of the present study it may be remarked that *The Coffin-Maker* is a typical specimen of a poet's prose, in that its composition turns out to be extremely rigorous, while on the other hand the relationships between the personages remain elementary, there being little exchange of mental action between the characters, and, owing to the short-story size of the text, no change in their personal qualities, habits, or inclinations. All the more brightly, however, does the personality of the narrator Belkin shine through.

JAN M. MEIJER

The Sixth Tale of Belkin

1

Puškin began writing prose rather late in his career and he considered this to be not accidental. He could understand that Vjazemskij at about thirty years of age would write no more poetry: "Leta klonjat k proze."[1] He used the same words in *Evgenij Onegin* VI, stanza 43: "Leta k surovoj proze klonjat, leta šalunju rifmu gonjat." Earlier in *Evgenij Onegin* III, stanzas 13 and 14, he foresees the possibility that he will "descend to humble prose"[2] (unižus' do smirennoj prozy; togda roman na staryj lad / zajmet veselyj moj zakat) — and in the lines that follow he enumerated some themes of which he might write in that case, and of which he did write inter alia in the Tales of Belkin.

Prose did not only come later than poetry, it was also quite

[1] In a letter of September 1, 1822, Puškin, *Polnoe sobranie sočinenij*, AN SSSR, 16 vols in 20 (Moskva, 1937-1949), vol. 13, letter no. 38.
[2] Unless otherwise stated the translations from *Evgenij Onegin* are taken from Nabokov's translation in vol. 1 of his 4 vol. edition (*Eugene Onegin. A novel in Verse by Aleksandr Puškin*, translated from the Russian, with a Commentary, by Vladimir Nabokov, New York, 1964).

different: it is "austere" as against "pranksome rhyme", and it was
lower than poetry: something humble the poet descended to. And
in fact Puškin's prose does make a humble impression in relation to
his poetry. His prose is never "poetical", either in the sense of a
domination of mood over content, or in the use of words. In the
Tales of Belkin, in particular in *The Shot*, the number of simple
sentences is striking.[3] The artistry of the tales is a hidden one. If
Puškin had written a more 'poetical' prose, it might have received
more attention from the critics than from writers. In relation to the
Tales of Belkin the reverse was true: The critics, and the most
notable among them, almost overlooked the Tales. Ševyrev was
something of an exception when he noted in 1841 that no writer in
East or West showed such a contrast between his prose and his
poetry as did Puškin.[4]

Because Puškin came to prose late he approached it in a much
more conscious fashion than poetry. He wrote the latter almost
before he thought of it. He sensed and solved the problems that
poetry presented before he formulated them or even without doing
so. With his prose one might say that theory preceded practice. He
knew the problems before he tried to solve them. He knew in
particular the imperfections of the prose that was being written.
He at first tried to bring others to prose-writing, in particular
Vjazemskij. He followed the prose that was published with great
interest. He was kind in his judgement to its authors. But when he
came to the conclusion that the best Russian prose was Karamzin's,
he added: that is no great praise.[5] It was so undeveloped that "even
in letters we have to coin expressions for the most common ideas".
Ideas was what prose needed: it required *mysli i mysli*, whereas
poetry, in a way, was *glupovata*.[6]

It was not ideas that were lacking with Puškin. None better than
he could give form to his thoughts. The difficulties that prose pre-

---

[3]   S. I. Abakumov, "Iz nabljudenij nad jazykom 'Povesti Belkina'", in: *Stil' i
jazyk A. S. Puškina*, pod red. prof. K. A. Alaverdova (Moskva, 1937), pp. 66-89.
[4]   In: *Moskvitjanin* 1841, č. V, no. 9, p. 260, as quoted by B. Èjxenbaum,
Literatura. Istorija, kritika, polemika (Leningrad, 1927), p. 10.
[5]   In the fragment: "O proze", written in 1822, *P.S.S.*, vol. 11, p. 19.
[6]   *mysli i mysli* — *ibidem*; *glupovato* — in a letter to Vjazemskij of May 1826,
P.S.S., vol. 13, letter no. 265.

sented can in fact best be expressed in his own words: its humbleness and austereness, the writer's descent from poetic heights. The first could perhaps be further circumscribed as the unbeautiful, the unpoetical in the sense that in prose beauty could never exist on its own, but only consist in the expression of ideas, in their only adequate expression. The complete freedom of form in prose was more austere to him than the multifariously fettered language of poetry, the "pranksome rhyme". In poetry Puškin could not go wrong, so to speak. His sense of form was so highly developed that any discrepancy between an idea or feeling and its expression was immediately clear to him. But this sense of poetic form was no help for prose, or if it was, Puškin did not accept it. Rhyme, metre, assonance, some forms of repetition found no framework in prose within which they could function: in prose they might rather hamper the expression of a thought than help it.

The austerity of prose did not consist in fixed forms, but in their absence, and in the resulting absence of all the supports and stimuli those forms could give. There was nothing in the nature of prose that could react to an emerging thought, that could enter into interplay whith it and lead to a demonstrably rounded form. In prose thought was thrown back upon itself. Puškin's insistence on "thoughts and thoughts" points to an unwillingness on his part to let his fantasy go free in a field where it was not at home.

One wonders to what extent these difficulties have influenced Puškin in the choice of his earliest subjects. It is possible to argue that he was trying to find some kind of external support that could to some extent replace the forms of poetry. In the case of Arap Petra Velikogo, the historical background might seem to provide such a support: it could serve as a check on his fantasy and as a measure for the finished product. But this combination of history and fantasy was premature. The work remained unfinished.

The next attempt was a novel in letters. Here also one is tempted to consider the choice of this form as providing a framework within which thought and fantasy could combine and check each other. The exchange provided the interplay. And it might seem logical to fall back on a form he was a complete master of. But mastery of the "live" letter does not imply mastery of the medium in a purely artistic context. The personality of the addressee and the unofficial character of a correspondence, these things that gave the salt to Puškins letters, could not be translated into artistic terms or made to function in an artistic context.

These two unfinished works were in principle longer forms, which may have been one of the causes of their not being completed. The question whether Puškin was conscious of the problems of the longer form when he started writing cannot be answered: he did not touch on this point in his statements on the subject of prose. The problems that he was conscious of were those of the poetic as against the prosaic word, the different way they were related to their context, and the lesser degree of autonomy of *mysli* in poetry as compared to prose. However, after his experiences with the longer form it is understandable that he turned to a shorter form of prose.

It was during his incredibly productive autumn of 1830 in Boldino that the first completed prose-work was written. This was the Tales of Belkin. One might put a question-mark here and point to the unfinished story of Gorjuchino. Was the collection really completed or did he content himself with this number? And what is meant by: completed, in the case of a new genre, a series of tales, to which in principle any number might be added? These questions directly refer us to the function of the piece: *ot izdatelja*, with which Puškin introduced the Tales. Is this a means of imparting some kind of external unity to the Tales, or is it more, and if so, what? It is this problem in the first place that will occupy us here. When we refer to the sixth Tale of Belkin we have in mind this introductory piece.

2

The first objection that might be raised against calling the piece the Sixth Tale is that it is no tale at all. It seems difficult however, to give it another name. It is a short piece of fiction with a main character. Considering it as a story enables us to draw a comparison between it and the other tales.

In an analysis of the Sixth Tale the other five must be considered

as part of it. Without them — i.e. not without their plots, but
without their existence — it would fall flat and have no sense.
Considered as an account of the origin of the others, the Sixth Tale
shows the bare outline of a plot; like the others it is an anecdote
rather than a story with a plot. An "editor" in search of information
and possessed of a "legitimate curiosity" that he shares with his
readers finds an aunt of the deceased author. She knows nothing of
Belkin but refers our editor to a friend of Belkin's. At the editor's
request this friend writes him a letter containing a biographical
sketch of Belkin. Our "ligitimate interest" is to learn how Belkin
came to write these stories. We learn that he did not really write
them himself, but heard them from different persons and that they
had actually happened. Against the background of the other tales
that first awakened our interest in Belkin, we are introduced, in this
sixth tale, to another person who remains nameless. What we learn
of Belkin is a mixture of bare vital statistics and some character
traits that makes us expect a humble prose rather than an austere
one. This expectation is not completely borne out by the other
tales. Beyond these facts we do not learn much that throws light
on them. If one finds this natural because, as a note informs us, the
tales have only been taken down by Belkin, then why should a biography be given at all? Nowhere do we learn how the editor got
hold of them. To learn this, surely, is part of our legitimate interest.
The irony of the foreword is stressed in the editor's final words. He
thanks his anonymous informant for his letter and thinks that the
public will be grateful for its *iskrennost'* and its *dobrodušie*. Other
features stress this irony. The letter is primarily a "valuable monu-
ment to a decent way of thought and to a moving friendship", and
only after that a "quite adequate biographical note". Although
there is no mystery that the editor is one A.P. (as such he figured on
the title page of the first edition) the letter to him is anonymously
addressed. Belkin is not given to high flights of thought and fantasy, so that he cannot even think up enough names for his stories.
The friend's remark on literature in the end of his letter is all in the
same vein.

The reader may not be willing to consider the foreword as a story;
since it purports to give factual information about these other tales

it need not have the features and structure of a story. Against such an argument it should be noted that in the foreword the other tales themselves are said to have happened in reality, so that the difference in this respect is slight. Further, if the foreword were to present the unadorned reality about the tales, we do not learn how the editor got hold of them; they were not given by Belkin's friend whom the editor did not know or see before he wrote the letter. The interest that is satisfied is that created only in the foreword, concerning the biography of the Russian writer I. P. Belkin (1798-1828).

The origin of the Sixth Tale is no different from that of the others. It was written at the same time as the others and not after them. It is dated September 14, like *Stancionnyj smotritel'*; only *Grobovščik* was written earlier, the other tales carry later dates. Although perhaps not all problems of dating are solved, the conclusion seems justified that even during the gestation period of the Tales Puškin carried around with him the idea of a framework or cover tale for the others. This sixth tale was conceived and written at the same time as the other five, i.e. when he was still trying out the short form of fiction. This is one external reason for considering the foreword as a tale. Another reason is that it does not have the structural features or the forms of prose Puškin used before, — the letter, the aforism or the critical note or article. Would it be simpler to take things at face value and consider it as an editorial introduction? In that case however, we would expect a "straighter" tale, without a superfluous aunt, and with an indication of where the tales came from. In one of the drafts Puškin had Belkin's friend send him the manuscript of the tales.[7] The fact that this was omitted in the final version stresses its fictional character. The conventional pretense for such an introduction is thus not kept up. It should therefore be considered as a short piece of fiction, as a tale.

Structurally a number of parallels can be observed between the sixth tale and the others. This tale of a search and its results can be designated by the name Èjxenbaum uses for the other tales:

---

[7] *P.S.S.*, vol. 8 (part 2), p. 581.

sjužetnaja novella.[8] Like the other tales, the sixth has its own narrator: Belkin's older friend. There is a parallel in the narrative method. The foreword is an *Ich-erzählung* in which the narrator does not know everything. So are *Stancionnyj smotritel'* and *Vystrel*. The friend's relation to Belkin is comparable to Vyrin's position vis à vis his daughter. They show a contrast between the ordinariness of the view and the extraordinariness the reader is made to expect. Further there is the use of a letter in the foreword, and also in *Metel'* and in *Baryšnja-krest'janka*. The use of direct speach for characterising the speaker occurs in the sixth tale just as in the others. Within the style of *Baryšnja-krest'janka* Berestov is individualised by his speech. So is Vyrin in *Stancionnyj smotritel'*. So is Belkin's friend in his letter, within the somewhat archaising context of the sixth tale. Lastly there is the motto. That of the whole work clearly refers to Belkin. Like those of the other tales it is a wink of understanding between reader and author. But the motto for Belkin is somewhat chargé in a comic direction. Belkin, already "simplified" by the sixth tale itself, is cut down even more by the motto. He may be humble, but he is after all not a Mitrofan — though he is *po mne* — i.e. Puškin. This chargé effect applies also to the other devices common to the sixth and (some of) the other tales. The introduction of the narrator, the characterisation by direct speech, the use of the letter, all these devices are a little overdone, they are less "motivated" in the sixth tale than in the others. As a story it is intentionally overdone and with comic effect.[9]

Another parallel with some of the tales is the fact that the fore-

---

[8] "Sžataja sjužetnaja novella, s nakopleniem vesa k razvjazke, s tonkimi priemami sjužetosloženija ...", in: B. Èjxenbaum, *Skvoz' literaturu. Sbornik statej* (Leningrad, 1924), in the essay: "Problemy poetiki Puškina".

[9] Confirmation of this can be found in the drafts. Whereas in the five other stories the finished version is more sober than the drafts, the opposite is true for the foreword. Vinogradov (*op. cit.*, pp. 550, 555) gives some examples for the tales. For от издателя we mention: С великим удовольствием becomes in the final text великим моим удовольствием. Ибо хоть весьма уважаю сочинителей — никогда не имел я желания вступить в оное звание becomes in the final text: ибо хотя я весьма уважаю и люблю сочинителей, но в сие звание вступить полагаю излишним и в мои лета неприличным. This tendency expresses itself more clearly by comparison with the earlier draft. For instance, this does not yet give the payment of *obrok* in the form of nuts.

word too, has a romantic prototype. In 1926 Jakubovič convincingly demonstrated that the device was taken from Walter Scott, who used it in some of the Waverley novels.[10] This is roughly comparable to the way in which Karamzin's *Bednaja Liza* was Dunja's prototype, and the way *Vystrel* reminded of Bestužev-Marlinskij's *Večer na bivuake*. In the general form of pretending to have found the manuscript, of having heard the story from someone else, the device is as old as literature itself. It is somewhat less common to individualise the narrator of short stories in another short story. In that case one would think we are supposed to believe in him. It is a story, but not by Belkin. To that extent we cannot speak of a SIXTH story. But our doing so has shown that we are justified in speaking of a story. Once Puškin has gone further than using the device of hiding behind another and made up a story, can we believe in its hero, like we believe in Dunja or in Silvio? The question now presents itself: who or what was Belkin.

3

The critics at first did not take much notice of Belkin or, for that matter, of the stories.[11] The first to see much in him was Apollon Grigor'ev, a critic whose vague ideas have sometimes been at odds with his real instinct for literature. According to Grigor'ev[12] Puškin in his maturity had humiliated himself, had come down to Ivan Petrovič Belkin — for this was a descent from the heights for a man who could measure his forces with the greatest talents of Europe. Belkin, in Grigor'ev's view, represented Puškin's critical side; it is a Belkin who in Turgenev's stories weeps over being a superfluous man. "Puškin's Belkin is simple common sense and sound feeling, peaceful and unprotesting, legitimately crying out against our over-indulgence in broad understanding and feeling; so he is a purely

---

[10] D. P. Jakubovič, "Predislovie k 'Povestjam Belkina' i povestvovatel'nye priemy Val'ter Skotta", in: *Puškin v mirovoj literature, Sbornik statej* (Leningrad, 1926), pp. 160-187.
[11] The latest survey of this is given by N. V. Izmajlov, in: *Puškin. Itogi i problemy izučenija* (Moskva, 1966).
[12] A. Grigor'ev, *Sobranie sočinenij* (Moskva, 1915-1916), vol. I, pp. 252-254.

negative principle". Belkin has set a tradition: "All relationship of literature to reality and to Russian life that is simple and neither comically overcharged nor idealized in a tragic fashion derives in a straight line from Ivan Petrovič Belkin's outlook on life". Strachov[13] considered the discovery of Belkin's significance in Puškin's œuvre to be Grigor'ev's main critical feat, and he somewhat elaborated Grigor'ev's point of view.

It was not until the turn of the century that the discussion was taken up by N. I. Černjaev; a few years afterwards he was followed by Iskoz and A. K. Borodin.[14] Grigor'ev's interpretation was generally rejected as a construction. These authors analysed the element of parody in the tales. The unfinished *Istorija sela Gorjuchina* was brought into the discussion. Černjaev tried to find how much of Belkin there was in the tales as compared to the various narrators and came to a negative conclusion. Borodin supposed Puškin used Belkin as a device to strengthen his incognito and in order to give the stories some kind of unity ex post.

After the revolution the problem continued to attract attention. Èjxenbaum mentioned it briefly in 1924. Jakubovič's essay mentioned above is of 1926. In 1937 Gippius took special pains once more to refute Grigor'ev's argument.[15] And there is more.[16] We shall have to pay special attention to two more general works, those of Vinogradov and Ležnev.[17] In his extensive study of Puškin's style Vinogradov tries to identify Belkin stylistically, differentiating him both from the "editor" and from the narrators of the stories. He considers this differentiation, in particular between

[13]   N. Strachov, *Kritičeskie stat'i ob I. S. Turgeneve i L. N. Tolstom* (1862-1885) (Sankt Peterburg, 1885), pp. 292-295.
[14]   N. I. Černjaev, *Kritičeskie stat'i i zametki o Puškine* (Charkov', 1900); A. S. Iskoz (= Dolinin), in vol. IV of the Vengerov edition of Puškin's works (this volume was not available, we have seen only quotations from it by others); A. K. Borodin, *Sobranie sočinenij*, vol. II: "A. S. Puškin" (Petrograd, 1914), pp. 30-61: "I. P. Belkin i ego proizvedenija".
[15]   Èjxenbaum, *Skvoz' literaturu* (Leningrad, 1924; reprint: The Hague, 1962), pp. 154-155, V. Gippius, "Povesti Belkina", in: *Literaturnyj kritik* 1937.2.19-55.
[16]   See the survey mentioned in note 11, and also I. Vinogradov, "Put' Puškina i realizma", in: *Lit. Nasledstvo*, 16-18 (Moskva, 1937), pp. 86-87.
[17]   V. V. Vinogradov, *Stil' Puškina* (Moskva, 1941), A. Ležnev, *Proza Puškina. Opyt stilevogo issledovanija*, izd. vtoroe (Moskva, 1966).

Belkin and editor, the most important problem. He finds the mottos to be naturally the province of the editor and he stresses their importance. Thus he says about *Metel'* that by means of the quotation from Žukovskij's *Svetlana* the characters of the latter "become a semantic background, a backcloth against which the informed reader projects the world of Puškin's tale with its individual outlines and colours". Ležnev's study raises the problem of developement in Puškin's prose. But before we turn to these works we should consider to what extent evidence from *Gorjuchino* can be used for a characterisation of Belkin. In their efforts to identify Belkin, Borodin and others have drawn on this story which could be regarded as Belkin's most individual work. The question whether it parodied Karamzin or Polevoj or, more generally, the historical style of the epoch can be discussed separately, as was done by Černjaev and Iskoz (Dolinin). But the value of their conclusions for the Belkin of the Tales is problematical. In analysing finished works that have been submitted to the public one has before one a context, a complete texture on which to build conclusions. One may take the author at this word, he fully wants it to be so. Psychological criticism has a preference for unfinished works, as these may show the author more off-guard than in the finished product, and thus reveal more of him. For a study of Puškin's psyche we would be entitled to use *Gorjuchino*, but not for the Belkin of the Tales. We do not know the reasons why it remained unfinished. One or more of these reasons might have a direct bearing on our questions. It might be, for example, that *Gorjuchino* was not finished because Puškin saw no way of rounding off the figure of a historical historian Belkin; and this in turn might be because of the way he used him for the Tales. Conclusions drawn from *Gorjuchino* concerning Belkin would therefore seem to be invalid.

There is a problem of dating here. The dates of *Gorjuchino* are later than that of the foreword (October 31 and November 1, and September 13 respectively). If it would be quite certain that both refer to the versions that have come down to us there would be some ground for taking *Gorjuchino* into consideration: in that case the "real" Belkin as we know him would live on in *Gorjuchino*; but even then this work may not have been finished because Belkin could not be cast in the role of a historian. If the dates are what they seem to be, then it would follow that Puškin took over entire sentences into a work in progress from an already finished work — *ot izdatelja* — and that he was going to provide the later work with an introduction in the first person that was on essential points similar to an existing foreword in the third person. It would seem much more likely that the process went in the other direction, i.e. that he raided *Gorjuchino* in favour of the tales. It is also conceivable that the first person form used by Belkin and the third person form used to characterise him had existed side by side and that Puškin finally opted for the third person form — Belkin's friend. Even in that case, however, we have no ground in considering *Gorjuchino* as a work of the Belkin of the tales. But this latter assumption would have the advantage that it can be squared with the dates.[18]

Vinogradov assumes, without argument, that Gorjuchino was used to complete the Belkin of the tales. Gippius is of the same opinion. The 10-volume Academy edition of 1949 for which Mejlach made the notes under the general editorship of Tomaševskij, states explicitly that the Belkin figure and a number of details of his biography were transferred from *Gorjuchino* to the Belkin tales. The third impression of this edition (vol. VI, 1964) for which Tomaševskij made the notes, does not have this statement. The 16(20) volume Academy edition only says of *Gorjuchino* that the first drafts were connected with the foreword to the Belkin tales. Further study of the manuscripts may reveal new data. But the fact remains that Puškin completed only the Belkin of the tales and that arguments based on a draft Belkin cannot be conclusive for the finished one. We will therefore leave him out of the argument.

---

[18]   Another possibility is that the *Gorjuchino* dates refer to 1829, and not to 1930. The annotation to the third printing of the 10-volume Academy edition (vol. VI, Moskva, 1964, p. 764) says that they "of course" refer to 1830. This is quite possible, but no arguments for the attribution are given.

4

Vinogradov wants to differentiate Belkin's style from Puškin's.
Now it is possible to speak of a Belkin style with Puškin and one
can try to isolate it, but only to a certain degree. The salient feature
of Puškin's Belkin style is the high frequency of literary reminiscenses and stylisations. We can hardly go so far as to admit the
persons of the tales. In view of the information given about Belkin
it is not very likely that the literary reminiscenses are his. Belkin
has a prototype in literature, like the people in the other tales. It
would seem more rewarding to consider him as a stylisation than as
a style-forming entity.

Before we can go further we have to consider what stylisation is.
The word *stilizacija*, in *Slovar' literaturovedčeskich terminov* is
described as: the imitation of specific features of the ideological
and artistic world of a writer or a group of writers; the imitation of
their style or some of its features.[19] It follows that stylisation is a
conscious process. The unconscious imitation of another's style
would rather be called influence. The intentions behind stylisation
can be many, they may vary from ridiculing to honouring the stylised writer(s). Stylisation is a means of expression. As compared to
other stylistic means, stylisation has a referring character. It refers
to another writer, or rather to another context, a context that the
stylising writer cannot and will not give. The stylisation may refer
to the way of expression of the stylised writer, but also to what is
expressed, or at least it may have a thematical component. (In this
connection the mottos in the way Vinogradov considers them, are
an extreme form of stylisation). The stylised elements are literally
taken out of context. They require the rounding off by this, their
own context. The very fact that this requirement is not fulfilled
sheds a special kind of light on them. It can be ironic or sarcastic,
but stylisation can also be serious. In the latter case stylisation is
essentially a kind of shorthand: the context from which it is taken

---

[19] "Стилизация — подражание идейно-художественным особенностям,
внешним чертам, творческой манере, — стилю какого нибудь отдельного
писателя или объединенной их группы." *Краткий словарь литературо-
ведческих терминов* (Moskva, 1952), стр. 124.

is to be inserted by means of stylisation. In an established and strict literary tradition stylisation of the great examples may thus approach the indication of the genre that was chosen.

In stylising the writer takes up a certain position vis à vis the stylised writer or work; this position may vary from admiration to total rejection. In the style of the writer who effects the stylisation, this phenomenon may be frequent or rare, important or unimportant. In any case it is a conscious component of the stylizing writer's style. Style can never be fully conscious. The choices that make up the style of a writer presuppose an unconscious centre of choice that is (or may be) gradually clarified as the work progresses.

One of the ways in which a new literary current can announce itself is by the expression of discontent with the style, or elements of it, of certain predecessors. In such cases these elements are felt to hamper rather than help the expression of what has to be said. If in such cases stylisation is used, it will be in order to ridicule these predecessors, to show how far they are behind the times. But if the new current is inspired by vigourous new ideas the element of stylisation will be small; all forces will be used for giving expression to the new ideas rather than for ridiculing the old.

When we now return to Puškin it is clear that his stylisations in the Tales of Belkin are of a non-serious character.[20] It is not clear right away what place the stylisations occupy in Puškin's Belkin style. At the time Puškin wrote the Belkin tales he could not be said to belong to or lead a new current. He was on his own. The things he had to say in the tales were not of a character to create a literary

---

[20] We are not here concerned with the question whether we must speak of irony or parody or something else. Vinogradov, *op. cit.*, ch. VI, section 3 shows that in Puškin's time the term parody was loosely used. While Gippius ("Povesti Belkina", in: *Literaturnyj kritik*, 1937.2.1955) speaks of irony, Bocjanovskij (V. F. Bocjanovskij, "K xarakteristike raboty Puškina nad novym romanom", in: *Sertum bibliologicum v čest' prezidenta russkogo bibliologičeskogo obščestva prof. A. I. Maleina* (Petersburg, 1922, pp. 183-193) uses the term parody and also calls the tales "one great unmasking, not only of the novels that were at that time being read to pieces, but also of those that read them"; this goes too far — the reading public played no part in his stylisations. N. Ljubovič, lastly, stresses the polemic point of view (N. Ljubovič, "'Povesti Belkina' kak polemičeskij etap v razvitii Puškinskoj prozy", in: *Novyj mir*, 1937.2.260-274).

generation, they had nothing in them of a rallying cry. Moreover, the irony, or parody, was not directed at one generation, it envisaged both contemporaries and predecessors, both Bestužev-Marlinskij and Karamzin. So there is no problem of generations to explain the stylisation, Puškin employed this device in a personal way. Why did he do it more in the Belkin tales than in other finished prose works? In order to see what they would be without the stylisations we can turn to parts of *Metel'*. Here we have the feeling of meeting the essential Puškin. It is a fast, clear and quintessential prose, austere rather than humble. One agrees with Vinogradov when he says "in Puškin's conception the historical style was the quintessence of prosaic speech".[21] But this does not mean that the stylisation is superfluous, ornamental. The Belkin tales as a whole are definitely less austere than Puškin's other prose. He needed this device for the Belkin tales, i.e. for the work that set his prose going.

Before we explore this further we have to meet an objection. Can we really speak of stylisation in the Belkin tales, or is the element that refers to other writers only thematical? A stylisation can be more thematical than expressive, but at least it has to have an expressive component. If *Stancionnyj smotritel'* is taken as an example, we see that its prototype is the tale of seduction, and in particular Karamzin's *Bednaja Liza*. Did thematical reminiscence here influence style to the extent that we can speak of stylisation? There is, of course, the more general influence on style that the choice of a given type of tale implies; but this does not necessarily entail stylisation. However, the way in which the adjective *bednaja* is used in relation to Dunja is clearly intentional. In connection with the Dunja character it is enough to remind us of Karamzin and to make us expect other elements à la Karamzin as well. The raising of expectations concerning the developement of a story by reference to another story and the intentional non-fulfillment of these expectations can also be called stylisation. Now is it necessary that these expectations are raised in the "general reader" or is it sufficient that the author has manipulated his ingredients in this way? Obviously

21 "В концепции Пушкина исторический стиль представлял собою квинтессенцию прозаического языка", *op. cit.*, p. 525.

the latter: stylisation is part of the structure of the work and does not depend on the perception or the knowledge of the reader.

Stylisation is a form of literary reference, but not every literary reference implies stylisation. Simple references can also be found in the Belkin tales, but probably not more than in other works by Puškin. What is characteristic of the tales is the frequency of the stylisations. It is this that gives them a special place in Puškin's prose (we are not concerned here with stylisations that occur in his poetry, in particular in *Evgenij Onegin*). The literary references in the Tales have been studied sufficiently to enable the reader to break them down into "simple" references, stylisations, and others. Belkin has something to do with these stylisations, but they cannot be said to be his style. They constitute perhaps the most striking feature of the Tales, but they cannot be reconciled with his emphatically simple character as it appears from the foreword. And we have only the foreword to go on for an analysis of Belkin. No reader would have made him up on the basis of the five tales alone.

Whether we call the stylisations ironical or intended as a parody it is clear that Puškin's object in using them was not to demonstrate the faults of his prototypes; his object was to write a story. If he uses elements of another's style ironically, he still uses them as elements of his own story, and their ironical or polemical charge does not make them any less an element of the Belkin tales. It is only as such that they make sense and have a function.[22]

The "central style problem of all the Belkin tales" is for Vinogradov that "of the speech structure of the Belkin figure" and of "the full clarification of the complicated compositional relationship between the Belkin figure and that of the editor A.P."[23] The speech

[22]   In an essay on *The Shot*, Shaw comes to a similar conclusion for that Tale: "In a literary context, the story can both ironize at the expense of the conventional romantic hero, the Gothic novel, and tales of hussar heroics, and at the same time use them seriously as an implied measure of actions and attitudes in the story." J. Th. Shaw, "Puškin's 'The Shot'", in: *Indiana Slavic Studies*, vol. III (Bloomington, Ind., 1963).

[23]   "Конечно, эти стилистические наблюдения еще не дают исчерпывающего материала для решения вопроса о языковой структуре образа Белкина, для выяснения всей сложности его композиционных отношений к образу 'издателя А.П.'. Это — центральная проблема стиля всех 'повестей И. П. Белкина'", *op. cit.*, p. 563.

structure of the Belkin figure implies an individualisation. The impressive analysis that Vinogradov presents makes a number of interesting points, but it has failed to convince us of the existence of an individual style-forming Belkin. The figures of editor, author and narrators "in the course of the stories sometimes coincide, at other times are contrasted".[24] From his point of view Vinogradov distinguishes three different stylistic layers. But he hardly succeeds in proving the presence of more than two at any given moment. Side by side with the differences between the individual tales there is to be found in them "a tendency towards style nivellation which is realistically motivated by the Belkin figure as 'mediator' between the 'editor' and the different narrators".[25] Here Belkin seems to be reduced to a tendency. The forms of speech common to the style of all the tales have to be attributed "either to Belkin, or to the editor".[26] But to whom? Discussing *Baryšnja Krest'janka* he says: "The forms of Karamzin's speech embodied in the feminine way of narrating, are rejected and transformed by the 'author', i.e. Belkin". Why not the editor? Is the Belkin of the foreword in a position to reject and transform Karamzin? The irony in *Metel'* has to be attributed "ne to k Belkinu, ne to k rasskazčice".[27] In *Baryšnja Krest'janka* the comparison between the young ladies in the country and in the city is, according to Vinogradov, certainly beyond Belkin,[28] whereas in Grobovščik "the task of the writer (i.e. first of all I. P. Belkin) amounted to reversing by way of parody against a realistic background, the literary forms and symbols".[29] Judgements like these contradict the impression created by reading Vinogradov that for him, ideally, the division of labour between

---

[24] "В ходе повествования они [издатель, автор и рассказчики] то сливаются, то контрастно противостоят друг другу", *op. cit.*, p. 539.

[25] In the separate tales "Ярко обнаруживается тенденция к нивеллировке стиля, реалистически мотивированная образом Белкина как 'посредником' между 'издателем' и отдельными рассказчиками," *op. cit.*, p. 538.

[26] "Именно эти общие для стиля всех повестей формы речи приходится относить к Белкину или к 'издателю'", *op. cit.* p. 548.

[27] *Op. cit.*, p. 553.

[28] *Op. cit.*, p. 562.

[29] "Задача писателя (то есть, прежде всего, И. П. Белкина) сводилась к тому, чтобы на этот реалистический фон пародийно опрокинуть образы и символы", *op. cit.*, p. 567.

narrators, Belkin and editor, would be that the narrator relates his
own milieu and does not look beyond it, that Belkin unites them
realistically and that the editor provides the literary references. The
conception of three layers may have served Vinogradov as a
heuristic principle for the stylistic analysis of the tales, but the
results, interesting in themselves, do not amount to convincing
proof of his theory.

It seems more promising to follow Vinogradov when he says that
"the key to Puškin's reform of Russian narrative prose is to be
found in the new stylistic structure of the type, the character and
above all of the figure of the author"[30] and likewise when he speaks
of a "prism between Puškin and the reality depicted by him".[31] In
creating Belkin Puškin created distance to his material, created
stylistic manœuvring space. The narrators as well as Belkin have
stylistic functions, but within the space thus created their roles
cannot be fully separated. They do not live a life of their own in the
five tales, they are not identifiable, but they rather "disidentify"
A. P. Puškin, who has recourse to them the moment the author as
such, the author of his "normal" prose, becomes too austere. The
narrators played this role in particular in the stylisations. They
enabled Puškin to use the modes of expression he had in mind, i.e.
those of Karamzin and others, and at the same time to place them
in perspective. He was not out to ridicule these styles or to show
that they could no longer be used; they could be used, but in
another context. The references to the manuscripts that Vinogradov gives are interesting in this respect. He adduces several
instances in which the stylisation was still more of a quotation.
Puškin tightened these up so that they became stylisations. In the
same way, i.e. through these stylisations, he broadened the spec-
trum of his own expressive possibilities and thereby loosened somewhat the "austere" historical narrative style that has been called

---

[30] "Ключ к пушкинской реформе русской повествовательной прозы
заключается в новой стилистической структуре типа, характера и прежде
всего образа автора", *op. cit.*, p. 530.
[31] "Прежде всего в самом изложении и освещении событий, соста-
вляющих сюжеты разных 'повестей Белкина', ощутимо наличие про-
межуточной призмы между Пушкиным и изображаемой действитель-
ностью", *op. cit.*, p. 538.

Puškin's normal style. That was the function of the author figure in the tales of Belkin.

We have stressed the similarity in function between Belkin and the individual narrators. This also applies to the extent that a foreword on any of the other narrators would not have revealed essential differences in outlook. In a way Belkin represents the others. He represents the author in general. In Belkin the author function was stressed and denied at the same time.[32] (As such he is perhaps the first anti-hero).

This whole conception only stands if one admits that there is development in Puškin's prose. If one does not see such a development it has to be considered accidental that the prose written before the tales of Belkin remained unfinished and also that the element of stylisation is much stronger in these Tales than in either the preceding or the following works. Vinogradov seems to consider the Tales as representative of Puškin's prose as a whole, and not as a phase in its development. The same is implied in Ležnev's very readable book on Puškin's prose: according to him "the hand of Puškin the prosewriter found right away its characteristic handwriting".[33] This can be maintained only if one takes all the kinds of prose he wrote together. It is true that Puškin's somewhat aphoristic way of formulating thoughts and impressions announced itself at an early date, — earlier, according to Ležnev, than his own signature in poetry. He attributes the relative retardation in the development of Puškin's prose to the view commonly held at that time of prose being lower than poetry. Although here and there speaking of development Ležnev, in the course of his analysis,

[32] Cf., in this connection, what I. Vinogradov says in "Put' Puškina k realizmu", in: *Literaturnoe nasledstvo*, 16-18 (Moskva, 1934), p. 87: "Получается очень сложная и тонко обдуманная конструкция: провинциальный 'недоросль' Иван Петрович Белкин, фигуры его друзей и знакомых и рассказы этих знакомых, пародирующие наиболее популярные повествовательные жанры и вместе с тем тонко отражающие вкусы рассказчиков и их интересы. Мы имеем таким образом план бытовой, план литературный и над тем и над другим автора, шутливо их демонстрирующего читателю."
[33] "Рука Пушкина — прозаика сразу приобрела свой характерный почерк. Лежнев," *op. cit.*, p. 15.

makes not much difference between earlier and later, completed and
uncompleted works.

That Puškin could express his thoughts adequately in prose at an
early date is clear enough, e.g. from his letters. But when in
Evgenij Onegin he foresaw the possibility that he would come down
to writing prose he had in mind something he was not yet doing; he
meant artistic prose. And the important fact is that the Belkin tales
are the first completed specimen of it. It is natural that in an inquiry into Puškin's prose as a whole the attention is directed to what
his prose-works have in common. But the transition to artistic
prose was a problem for him of which he was very conscious. The
fact that he was unsurpassed as a letter writer did not guarantee, as
we saw, that he could write a novel in letters. Ležnev himself men-
tions the terseness of Puškin's prose. This terseness, clearly willed
as a contrast to excessive lyricism in others, restricted its expressive
possibilities as compared to those of his more romantic contemporaries. The stylisations, using some of these possibilities and at
the same time putting them in perspective, did away with a tendency towards tautness in his prose and made it the supple instrument we know. On this view the Belkin Tales are a stylistic recon-
noitering. Once Puškin had found out what could be done he no
longer needed the stylisations; he had them at his command and
could freely decide when to use and when not to use them.

Ležnev's opinion is contrary to this, namely "that by the introduction of other people's lines and words, by the juxtaposition with
literary types and prototypes Puškin does not pursue either stylistic
ends or those of stylisation, but that he does this without special
intentions or covert plans".[34] It can be admitted that not every
literary reference has a direct stylistic function. That could only be
the case with references to style elements that could still have a
certain appeal to Puškin and that were not yet "neutral", i.e. did not
yet belong to the general fund of speech possibilities. It does make
a difference whether the reference is to Dante or to Marlinskij. It

---

[34] "... что ввод чужих строк и слов, сопоставление их с литературными
образами и типами не преследует у Пушкина ни стилевых, ни стили-
зационных целей, не являются игрой на материале и фактуре, а произ-
водится без особого умысла и скрытого намерения", *op. cit.*, p. 141.

also makes a difference whether the literary reference is a quotation or not. A quotation will in general be stylistically neutral, but it may have a function approaching that of stylisation. Such a case occurs in *Grobovščik* with the direct reference to Scott. What is envisaged here is not Scott's style in a restricted sense, but one of his prominent devices that influences the style of those that take it from him. From the present point of view the mottos occupy an intermediary position between the neutral quotation and stylisation. Ležnev sees all literary references, direct or indirect, as stylistically neutral. It would seem to contradict what he says himself e.g. of the Vjazemskij motto in *Stancionnyj smotritel'*: it "becomes a leitmotiv of the first pages of the tale which together can be considered as a long lyrical introduction to the story".[35] He does not give an explanation of the relative frequency of literary references in the Belkin Tales. This may be a consequence of his approach to the prose work as a whole; Puškin's non-artistic prose abounds in literary references.

In this connection it is interesting to see what Ležnev says of the lyrical digressions. He sees a gradual transition between these and the direct literary reminiscences. He gives as examples the beginning of *Stancionnyj smotritel'* and the piece on the provincial and the city young ladies in *Baryšnja Krest'janka*. He stresses their ironical mood and calls them digressions *ot avtora*. But the point is that Puškin in his prose never let his lyrical "I" come to word directly. The essence of his prose, its stylistic centre is a rather terse handwriting, as Ležnev says. The lyrical digressions are on one way to unbend this terse writing. Puškin, so clearly realising the opposition between austere prose and undisciplined poetry (*šalunja rifma*), needed an excuse for lyrical digressions in his prose. Here it is literary excuses: Vjazemskij in the first, and Jean Paul in the second one. Even so he did not refer to them directly. It is the narrator that does this. At the same time these digressions cut down somewhat the figure of the narrator; one can agree with Ležnev that

---

[35] "Стихи Вяземского 'Коллежский регистратор, почтовой станции диктатор' становятся лейтмотивом первых страниц новеллы, которые могут быть в целом рассматриваемы, как большой лирический приступ к повествованию," *ibidem.*

these digressions do not fit the narrators very well. According to
Ležnev: "The author breaks through the conditionedness of the
story told by a fictional person. That is the common fault of the
Belkin tales — if, that is, one can call a fault that which follows
from an aproach for which the skaz element is of secondary importance for the writer, so that it is sufficient to allude to it".[36] This
seems to be a too exclusively stylistic view. By author Ležnev can
only mean the individual Puškin. But if one admits the intrusion of
Puškin personally into his artistic prose, the artistic moment is
reduced to a problem of style. Belkin was essential for Puškin, but
not because of the skaz in the first place. It was to create an author
who would encompass more elements that there were in Puškin's
straight, "austere" prose. For this Puškin needed an author figure
that could accomodate the frivolous and lyrical in prose. Puškin's
hypostatical narrators enabled him to use expressive possibilities
that he could not incorporate directly into this prose. Puškin's
"lyrical I" that organised his poetry was not admitted by him into
his prose. The artistic form also excluded the personal Puškin.
Neither of these could play an organising role in the tales. That
was left to another figure, which became Belkin. It was through
Belkin that Puškin, in artistic prose, came into his own.

5

It is perhaps not accidental that Puškin's prose was realised first in
short stories. A parallel can be observed with the other media
Puškin used. In the case of the long poem we see a development
from *Ruslan i Ludmila* to *Kavkazskij plennik* and *Cygany* (and on to
Evgenij Onegin); in drama, from *Boris Gudunov* to the dramatical
scenes; in prose, from *Arap Petra Velikogo* to the *Povesti Belkina*.
In all media it seems the long form was the beginning. Form was
the main problem solved, or to be solved, in the longer work. This

---

[36] "Автор прорывается сквозь условность рассказа от вымышленного
лица. Это — общий недостаток 'Повести Белкина', если только можно
считать недостатком то, что вытекает из установки, при которой 'сказовый'
элемент является для писателя второстепенным, так что на него доста-
точно намекнуть," *op. cit.*, p. 144.

brought to the fore specific problems of speech and style which were then solved in the shorter variant of the longer form. With these two the medium was mastered; what followed could be either longer or shorter. In the case of poetry, there could follow both *Evgenij Onegin* and *Mednyj vsadnik*.

In the case of prose the longer forms remained uncompleted and it would therefore seem that it was for the *Povesti Belkina* to solve that problem too. This is, of course, only partly true: the Povesti are not the sole form of Puškin's prose. But the fact that the Belkin Tales were the first prose work to be completed does indicate that the problem of style was connected with that of form. A stylistic breakthrough is in itself no guarantee for the completion of a work. What, except style, kept Puškin from completing earlier works?

Belkin represents not only prose, he represents the prosaic. One wonders whether the "coming down" was essential for Puškin for writing prose. The stylisations point in that direction. They imply, as we have seen, a taking out of context. If this is done in an ironical vein, the original context is cut down to size. Puškin's stylisations were used in reference to a reality that was less elevated or poetic than the prototypes. To that extent the prose coincided with the prosaic. The stylisations also meant a breaking up of the vision that the stylised authors had of reality and that organised their prose; or if this vision was nor broken up it was exposed as unable to support the tale that had been built on it. Puškin saw through those visions, but those he had were not very strong. The propelling force of his style was not a closed and clear romantic view, there were no strong convictions that could not wait to be put on paper. He had strong convictions, but about how not to write prose, and these could not organise his style. The problem of style, of adequacy of expression, became one of double reference: not only to the view or vision of the writer, but also to what was narrated: *mysli i mysli*, and small parts of reality that have to find a unity of their own. The tales found this unity in the author-figure. But what do we mean by that?

The author figure is the author as artistic organiser. His task is to complete the work in progress. He arranges the material with relation to a view or vision that expresses itself only in the com-

pleted work. When his work is done he disintegrates into his elements: the writer as a person, the stylistic and thematical ingredients.
This implies that he is more integrated than the writer as a person;
which is true. He is, in fact, the writer, integrated for the purpose of
finishing a given work. The writer takes up a position that is not
simply the man himself. It is based on him; it cannot move too far
away from him: a too "unnatural" stance cannot be kept up as long
as it takes to complete a book; but is distinct from him: his is a work
of art, not memoirs.

If the author figure is not identical with the author as a human
being, neither is it the "I" of an *Ich-Erzählung*. If it were, the concept would be superfluous. Artistic prose not written in that form
also has an author figure. On the other hand, the "I" of an *Ich-
Erzählung* often is not so much an author figure as one of the
characters of the story, a creation more than a creator.

Essentially the author figure disintegrates when the work is
completed, and a new one appears for the writing of the next work.
But the different author figures of one writer will show many simi-
larities: the writer cannot move too far away from himself, and his
artistic arsenal is not unlimited. Thus it is possible to analyse the
author figure of a given writer, it is a kind of *Idealtypus* showing the
traits that the writer's different hypostases have in common. Within
the confines of a literary current the author figures also may be
expected to have many traits in common, namely those features that
make us speak of one current. It seems possible therefore, to analyse the author figure of, say, late romanticism. It was in this sense
that Tynjanov used the concept.[37]

[37] Up to now the concept has been used mainly as a tool of stylistic analysis.
It seems to merit a fuller treatment than can here be given. In: *Puškin —
Vremennik Puškinskoj komissii*, vol. 2 (Moskva, 1936), p. 67, Tynjanov speaks
of "The hero of the 'Journey to Arzrum' the author figure in whose name the
notes are taken down" (Герой "путешествия в Арзрум", авторское лицо, от
имени которого ведутся записки — никак не "поэт", а русский дворянин, ...).
In the same volume, in an article on the style of Pikovaja Dama, Vinogradov
devotes a special section to the author figure in this work. He speaks of the
subject of the narration — the author figure (субъект повествования —
"образ автора"), and adds: "It is the form of the complicated and contra-
dictory relationships between the author's intention, the fictional author and
the character of the story" ("Он является формой сложных и противо-
речивых соотношений между авторской интенцией, между фантазируемой

How do we find the author figure of a given work? Essentially, by structural analysis. This will start from its most salient feature. It may be the style of the work, the vision or apparent lack of vision that it shows, strong contrasts between different elements of the work, etc. The spacing and form of remarks *ot avtora* may be our first clue. In an *Ich-Erzählung* the I can be the starting point. We will find out to what extent he is a character and to what extent he is an author figure by scrutinising his role in the plot: how he knows what he knows; whether his knowledge is just what he has to know for the plot, or more; what is the role in the story of his general judgements, etc.

The concept of an author figure can, it would seem, contribute in various ways to literary analysis. Thus confrontation of a writer with his author figures will lead to a better understanding of his artistic potential. The author figure can be related to the style of the work and deepen the stylistic analysis. This, it would seem, is possible even in those cases where style was the starting point for an inquiry into the author figure: Once we know the writer's hypostasis that organised the style of the given work, we can obtain a clearer view of that organisation. There will be more and less conscious author figures. Then we can construct the *Idealtypus* of "the early romantic author" for a better understanding of the corresponding literary period. And this enumeration would seem to be far from exhaustive.

In the case of the Belkin tales, Belkin clearly is not identical to the author figure. He shows some traits of the author figure, but in an exaggerated form. The author is prosaic, but less so than Belkin. The author is more knowledgeable than Belkin. The author figure has a much wider literary horizon than Belkin, etc. Belkin is thus as much a character as an author figure, he is in fact, the former in the guise of the latter. The initialled narrators are even more than

---

личностью писателя и ликами персонажей", *ibidem*, p. 105). In recently published notes Tynjanov used the concept in a somewhat different sense, as belonging not to an individual writer but to an entire generation: "А за речью стоит авторское лицо, автор (...). В авторском лице, рупоре — все дело. (...) Смена рупора есть литературная революция." (Ju. Tynjanov, "Iz zapisnych knižek (s predisloviem V. Kaverina)," in: *Novyj mir*, 1966.8(500).129.

Belkin author figures: they refer to different narrative situations. Belkin does not have a narrative situation of his own, but he is all the more necessary as a gathering place of these narrators. In Belkin, Puškin stylised the romantic author figure, and this stylisation is essentially no different from those in the tales. In the sixth story Puškin turned his gaze on himself. In it he looked at the author in the same way he had looked at outward reality in the other stories. Belkin is a kind of reflection on Puškin's own work. In Belkin he half self-consciously and half jokingly scrutinised his own prose and came to a guardedly positive conclusion. With Belkin it became clear to him that the tales were completed and not just another experiment. The loosened-up style had found its form (it was in this direction, and not the other way round that the solution developed). For this to happen, the "austere" author had to be freed from the view of reality as history to be described, freed also from the threatening tyranny of *mysli i mysli*. With Belkin this freedom is attained. His was a humble, but very effective role. It was now fulfilled. ("Evidently he is quite seriously dead").[38] Now Puškin had prose at his command — for the novel, for the story and for history.

---

[38] "Не дожидайтесь Белкина; не на шутку видно он покойник," letter to V. F. Odoevskij of October 30, 1933, *P.S.S.*, vol. 15, letter no. 855.

JAN M. MEIJER

A Note on Puškin's Realism

How essential for Puškin's realism was that lowliness in it that has struck so many readers? Did it irrupt irresistibly or did Puškin choose to admit it into his work? Did it come victoriously, as a denial of the more elevated things in life? Did lowliness bring realism with it or did Puškin depict a reality in which both the lowly and the elevated had to find their place?

We have witnessed the breaking up of the romantic canon in *Evgenij Onegin*. This work owed its special character to the transitional period from romanticism to realism during which it was written. We cannot call it unconditionally realistic, but Puškin himself drew attention to the lowly realities in it by calling them *flamandskij sor*. There is much more of this ingredient in the Tales of Belkin with which Puškin entered the realm of realism. But the lowly element does not irrupt into them irresistibly, with a vengeance for lost illusions. Their realism is peaceful and the artistic distance is kept up. They present not only a look at different things, but also a different way of looking.

The breaking up of a current expresses itself inter alia by the termination of a tacit agreement between reader and author that they did not realize existed. Before, the reader accepted a number of premises that went without saying. The new current does without them and therefore demands from the writer a stronger motivation of his hero's actions. This motivation often takes a negative form, by attacking the outgoing current and referring to the new things as "natural", i.e. in their turn as going without saying. The adherence to the new premises is as immediate and unconsidered as the old premises were. The problem with Puškin was that neither the breach with romanticism nor the transition to realism were very violent. His inner growth as it were broke up romanticism and necessitated a different expression of different things, things that happened to become visible through the cracks of the old vision. These metaphors are risky, for one thing because they touch on a crucial point of the transition from literature to reality. The breaking up of the canon is a literary, not a biographical fact. But then, what becomes visible through the cracks is "literary" reality, reality as an object of literature. This implies a different attitude of the writer vis à vis his material, a new kind of adequacy, not only to the story, but to facts as they usually are outside the story. In literature this reference to outside reality implies that the spell of the whole in the romantic story is broken.[1] It is also a source of tension that plays its role in the organisation of the artistic work. The adequacy to the outside world often comes in the form of reference to usage, to experiences common to reader and author.

The different expression of different things implied, in Puškin's case, that the traditional stuff did not disappear, but became material for a new way of looking. The traditional material was approached ironically; the new material had to be justified on its own merits. This was done, in part, by reducing the distance to it that was proper to the romantic hero and author. Vision was replaced by point of view, a point of view that implied just so much distance as was necessary for encompassing what was related. Puškin had

---

[1]   If we speak of the romantic spell and, further on, of the unity of the romantic I and the world, we seem to deny the romantic irony by which at least early romanticism became conscious of itself. This is not so. Once the conventionality of the world around him was realised by the romantic I, it would cast its own structure and spell over the outside world. This implies a certain unity between the world and the I that was broken by realism.

created Belkin in order to have stylistic manoevering space, to have an author figure; the separate stories each needed a point from which they could be related and encompassed. These points are presented by the initialled narrators. They are not stylistically identifiable. The presentator needed not be a powerful personality, or even a character, there just had to be one. What was related had to be clear by itself.

A look at *The Station Master*, with *The Coffin-Maker* the most lowly of the Belkin Tales, may serve to illustrate some of these points. The opening sentence is a rhetorical question, establishing a genre, a typicality, a general view. This general direction is reversed by the words: *budem odnako spravedlivy*, which brings in the reader, and by the question — no longer rhetorical: what is a stationmaster? There follows a description of the stationmaster as he generally is. The exposition, nevertheless, gives in passing something like a motivation for the motto taken from Vjazemskij.

The rest of the paragraph shows a parallel to the first part. Public opinion as represented by those who would subscribe to the rhetorical question, is opposed by the real experiences of the author who now introduces himself. These experiences are wide enough to serve as a basis for this view: few are the station masters he does not know. A travelogue is promised, a current form before that time. The conversations of stationmasters are interesting for their own sake, more so than those of much higher officials. This long introductory paragraph completes the transition from *idée reçue* to author's point of view concerning the class (*soslovie*) of stationmasters. The stationmaster is the only story with such an introduction. Vis à vis the reader it is a justification of the subject matter, for the story itself it is a general frame of reference or a background, which enables the story itself to go on uninterruptedly. It also answers one of our introductory questions: the lowliness does not enter victoriously as a denial of more elevated things.

The junction between this introduction and the story itself is effected by a very short paragraph. It consists of three sentences. The first alleviates the general character of the introduction by suggesting somehow that it is a rationalisation of the author's personal feelings. These feelings are expressed quite directly and without irony in the second sentence. The third, longer, sentence is almost an introductory formula in the storytelling tradition.

The next paragraph begins the story. It establishes the time and the place, but also contains a digression by the author. By indicatting the changes time has wrought in the author's views this digression stresses the distance in time between the telling and the beginning of the story. At the same time it rounds off the introduction and finishes the process of adjusting the reader to the story by including him in the author's acceptance, not without irony, of the reasonableness of the world as it is.

The very perspective thus established excludes a too flowery style with too many adjectives. The adjectives are conditioned not by the mood — which is not exuberant and by now separately established — but by the course of the story. Occasionally one finds traditional combinations, as in *smirennaja obitel'*, but in this case the conventionality of the combination is reduced by the addition of: *oprjatnaja*.

The realism is stressed by the rejection of the romantic pattern, by the non-fulfilment of traditional narrative sequences. Such a device shows that each part of the romantic situation has its own inherent claim to attention. Not the seduced girl is left alone, but the father. This father is bought off, not, however, for his daughter's seduction, but in order to make him leave his happy daughter alone, and this happiness in turn is made doubtful by her swooning when she sees her father. The father rejects the money with a fine gesture, but soon regrets it, and the realism of the scene is stressed by someone else making off with the money. Likewise the appeal is not to great and off-the-peg sentiments on the part of the reader. The writer invites the reader to be just; he has become resigned to social realities; the tears of the old man may equally well be caused by punch; the author had already regretted his seven roubles, but does not now, since he has learnt the end of the story, etc. The author does not deny that the stationmaster is sad, nor does the author regret his money. But, like the discontinuation of expected sequences, this showing of the possible alternative makes these details stand out. A good example of "old" material made new is the end of the story, where all the elements of a sentimental cliché are present: the weeping over a sad grave to which one is led by a third person. But the sadness is expressed by the author as his own feeling, the positions in and on the grave have been exchanged as against the traditional ones. And the guide is out of keeping by being ragged and one-eyed.

This keeps the reader constantly on the alert, he does not settle down for long periods. This relatively fast articulation of the story is the compositional parallel to the short sentence.

The kind of realism which results from a rejection of the romantic vision and which has to be true to the ordinary, to the generally known small detail tends towards the fragmentary. Character, mores or ideas can help to counteract this tendency, but these cannot function well in the short tale. In this species, the quick turningpoint, an about-turn in the linear development of the plot is a common means of establishing unity or of bringing out the unity inherent in the story. There is nothing essentially realistic in this device, it can be used equally well in a romantic story, but as realism lacks the unity of vision of the romantic story it will generally use this device more frequently. In *The Station Master* however, Puškin hardly uses it. In this story repetition and contrast play a more important role. The story essentially consists of three visits to the same place. The first visit presents the motif of the prodigal son, and further a father and daughter. The second visit presents a prodigal daughter who does not come back, the story being related by the father. The third relates the death of the father from sorrow and/or drink, and suggests that the prodigal daughter made good. In the first story the narrator meets both father and daughter and relates the events himself, in the second he meets only the father, who is also the narrator, and in the third he meets neither and the events are narrated by the brewer's wife and her one-eyed son. These changes of perspective help organise the material. Each of the sub-narrators has his own restricted view, his horizon being no wider than is necessary for the reality of his own story.

Realism is organised differently with regard to time from the currents that preceded it; or, time is organised differently in realistic works. It is, like other realities, considered for its own sake and used, more consciously than before, as a mortar for the story. It might perhaps be said that, before, time was present through the cycle of life and death, as a rhythmic influence, or as an antogonist of the romantic "I". In realism the cycle is stretched and made linear. Time runs like a thread through the story. The author can divide the time of his story at will, he can anticipate or flash back, but time is there, its flow cannot be turned back, only our viewpoint can.

Linear time appears in the Belkin Tales in a clear and simple form. In *The Station Master* it is a fact rather than a device. The story consists of visits to the same place at three different points in time. The story proper starts in May, 1816, when the author was travelling "along a no longer established highway". Place is less important than time. Further on we learn that it is somewhere between Smolensk and St. Petersburg — not far perhaps from Puškin's Michajlovskoe — but the locality is not essential, it is only used in the story to bring Vyrin to St. Petersburg. The year 1816 is not important for itself, there are no references to public events of that year, but as a point in time definitely past, stressed straight away by the words: *po traktu nyne uničtožennomu.* A mention of the number of years that have passed, equally conceivable in such a story, would not have agreed well with the transitions to the second and third visits.

One is tempted to connect this artistic handling of time with Puškin's non-artistic preoccupations with time, or with comments on time in other works of this period. The poem *pora, moj drug, pora, pokoja serdce prosit,* and the stanza in *Evgenij Onegin* that begins with the words *nesnosno dumat' čto naprasno nam bylo molodost' dana* come to mind. It is somehwat rash, methodologically, to connect comments on time, regret of time past, time in life, with time as a artistic organiser. But a certain connecting link is to be found in Puškin's preoccupation with history which expressed itself from 1825 onwards. The writing of history and the writing of a story were connected, but different problems for Puškin. They were not solved together, but the Belkin Tales occupy a central position in the solution of both. In the beginning, at the time when he wrote *Boris Godunov,* history, for Puškin, was rather elevated and austere. *Nulin* was perhaps a first effort to bring it down to earth. The events of December 1825 did nothing to make it less austere. For his prose Puškin first turned to history, as *Arap Petra Velikogo* shows.

Reality was approached first as history to be related. It is not the least important role of the Belkin Tales to have made the austere language of history enacted more supple. In its turn, the suppleness gained through the Tales served Puškin well when he began writing straight history. In order to unbind his historical style Puškin at one time considered subjecting the writing of history itself to the ironical treatment that he subjected other writing traditions to; but he did not need it and used the draft of *Gorjuchino* as material for the Tales. It is in the Belkin Tales, then, that we find the connection between historical time and artistic time, between the time of history and the time of the story. We seem justified, therefore, in considering Puškin's references to time and his artistic handling of it as different aspects of one deep preoccupation.

The Station Master illustrates this well in that its form approaches that of the chronicle more than the other tales do. The "turning point" of the other stories is absent, perhaps moved towards the middle of the story: the prodigal son we are prepared for turns out to be a prodigal daughter. Her eventual return to her father's place confirms this point rather than functioning as a turning point. The chronicle form is loosened up by the use of the sub-narrators. This device is a continuation, in a way, of the division of labour between Belkin and the four narrators of the separate Tales. Besides by stylisations (which *The Station Master* has in common with other tales) the chronicle form and its starkness is further diversified by the amount and the spacing of *flamandskij sor* in this Tale, like the *Bal'zaminy*, the one-eyed boy, the fact that a brewer now lives in the station master's house. One cannot help thinking that the conquest of realism presupposed a breaking up of the longer form and gesture, both in history and literature, and that both had to go through a phase of small and homely things.

Much of the *flamandskij sor* draws attention to social milieu, which raises the question of the social implications of Puškin's realism. The first thing that should be stressed is that these details are autonomous in that they are not the expression of definite views or of a set of convictions on social life. These details owe thier existence not so much to a system, but rather to the breaking up of one in which they had no place. This fact may even have contributed to the artistic equilibrium of the tales. The details are used here to round off the picture of the characters, not in order to give them direction. The social element is here not a source of tension as it is for example in *Mednyj Vsadnik*. In this respect Vyrin occupies a middle position between the two Evgenijs. He is seen from the outside as part of a world that is there and that is beginning to awaken Evgenij Onegin's interest. For the latter Evgenij this world is his own, and no longer given. There are of course social differences; their reality is stressed by the author's digression on honour due to rank. These differences are essential to the story: it would not work if Minskij were a common soldier. Social equalities also are maintained: the station master's house is occupied after him by a brewer, from the same class and environment. But in none of the characters is there a sentiment of protest against his station in life. Social differences play an artistic role, as they did in Karamzin's *Bednaja Liza*, but social tensions do not function here the way they do in *Mednyj Vsadnik*, or *Dubrovskij*.

There might have been a certain social tension between the reader and the story, but that is solved by the introduction. In the world he is introduced to the reader finds no social protest. Is it justified to conclude, as has been done, that this directly reflects Puškin's personal views at that time? Or is the author's stand a result of artistic preoccupations, in the sense that the realism which reflects social ideas as "groupers" and organisers of literary material logically and historically can only come after a "simple" realism so that expressing more of this in a literary work does not necessarily imply a change in social ideas, but may also be the result of artistic factors. The former position would imply that the author's digression would have to be taken quite seriously, which cannot be done. A consequence of the second position would be that *Mednyj Vsadnik* and *Dubrovskij* represent a further stage of realism than the *Station Master*, apart from any change in Puškin's views on life. This is the view taken here. Puškin's further reflections on man's being conditioned by history which were embodied in *The Bronze Horseman* and in his historical work were prompted at least in part by the artistic problem of rendering reality (in *Boris Godunov* we have a fully historical hero. In the Tales history is just there in the form of time. In *Mednyj Vsadnik* it becomes a personal problem for an "unhistorical" hero). In his essay *The Puškin Problem* of 1934 Mirsky[2] distinguishes two kinds of realism. "In the first place this is a definite literary style, that arose in reaction to classicism and that is based on the true reproduction of reality in its concreteness, its immediate visibility, independent of a deeper understanding of this visibility". The realism in Engels' sense is entirely different, "it consists in the rendering of the real meaning of pictured reality". It would seem that the difference between both realisms is not one of essence, but that the second, the Engelsian realism, is one of a number of possible consequences of the first realism. It is not that the "simple" realism is a necessary ingredient of the other realisms, but that the former and the latter are each equally autonomous forms of one realism. Puškin proves this by his Tales of Belkin. This kind of realism is one for "quiet" situations in which views or ideas or visions do not impose themselves too forcefully. One might perhaps venture the position that literature always has to defend itself, to a certain extent, against views or ideas to the creation of which literature itself has often contributed much. The push and pull of ideas by which people live in a given time can have an unsettling influence on the organisation of the literary work. They have a tendency to take over the literary work and make it into a function of themselves. Each talent has to find its own way of dealing with this situation. In Puškin's case it was the breaking up of the romantic vision more than the pull of new ideas that was responsible, in different ways, for both the Tales of Belkin and for *Evgenij Onegin*. Like *Evgenij Onegin*, the Tales of Belkin were not a work that could as well have been written later or earlier.

In literature the pressure of vision or idea appears in the guise of devices encompassing large groups of material, sometimes even with the suggestion that any amount of further material could be

---

[2] D. Mirskij, "Problema Puškina", in: *Literaturnoe nasledstvo* 16-18 (Moskva, 1934), p. 106.

grouped in the same way. This implies a reduction in importance of the reality itself, as it is depicted — with zero as the limit: this is the treatise. "Large-scale" realism is impossible without a tension between the overall view and the detail for its own sake or for its refractoriness to the view (e.g. the *stolknovenie s dejstvitel'nost'ju* with Dostoevskij and the *ostrannenie* with Tolstoj). The devices for bringing large groups of material together are sometimes (often, for literature in a narrow sense does not have so many of them) borrowed from either philosophy or sociology, or any other organised body of notions. Puškin steered clear of these dangers, for one thing because their pressure was not strong in his time. But his realism in its short run in the Tales of Belkin, showed as much tension between view and detail, was as incomplete in itself as, and not different in character from, later realisms. It was perhaps a precondition for later realism, as the writers realised before the critics did. Puškin did move on to a larger realism, but this was not intrinsically better than the Tales of Belkin. The unresolved conflict between Peter and Evgenyj in *Mednyj Vsadnik* is as much an artistic necessity as an ideological crux. One wonders, in this connection, whether the "brokenness" of the world of realism to which Lukacs[3] refers is not as much an artistic requirement as anything else. The ideological correlate can have various functions and modes. There is a "proper" amount of ideology for every kind of realism. Naturalism, seemingly no more than realism, grimly illustrates an ideological point; in the physiologies of the eighteen-forties, without any ideology, reality takes over that role: it is the city, the wish to see how it works, that gives it what artistic unity it possesses.

In his essay on Puškin's road to realism I. Vinogradov[4] argues that in all cases where "low" reality is introduced this is perceived indirectly, "*so storony*", through a window as it were. He adds: "The poet feels a distance between his reality and himself, he

---

[3] See G. Lukacs. *Essays über Realismus* (Berlin, 1948), e.g. p. 15. He is much more ideological here than in his *Theorie des Romans* (Berlin, 1920), in which the problem of form is prominently discussed.

[4] I. Vinogradov, "Put' Puškina k realizmu", in: *Literaturnoe nasledstvo* 16-18 (Moskva, 1934), p. 86.

wishes to take it into account, he wants to come closer to it". Vinogradov seems to mean here both the man and the artist. As regards artistic distance, we have already seen how it is brought about through sub-narrators and what function it has. One does not quite see, however, how Puškin the man could reduce the distance towards the reality he describes in his prose. By speaking of it more seriously than hitherto in his works? Vinogradov seems to think so when he says that what happened *šutlivo* in the Tales of Belkin was done in earnest in later works — the introduction of the lower official in Russian literature. But it would seem that his conception overstresses the ideological element and forgets artistic transposition and its consequences. Puškin's irony in the Tales was not a kind of excuse for the low reality he presented. Each of the stages of his development can be considered under an ideological aspect, but one can easily go astray if one first condenses this ideology into a system, and then draws conclusions from this system as if they followed from the artistic work to be analysed. Realism for Puškin remained a problem, but it is not the literary translation of an ideological problem, no more than the ideological development is a translation into life of a literary problem.

A confirmation of the problematical character of realism for Puškin is to be found in the much quoted lines from "Geroj" that were written at the same time as the Tales of Belkin: *t'my nizkich istin nam dorože // nas vozvyšajuščij obman.* However, Puškin is speaking here of small parcels of truth, not of small bits of reality. The former is a dimension of character and has moral implications. Adding up small bits of lowly reality concerning a character does not give a big truth. Likewise adding up parcels of *flamandskij sor* does not give one big reality. In *The Station Master* Puškin did not add them up, but used lowly reality in contrast to other elements that referred, mostly ironically, to romanticism. The lowliness is nowhere stressed or used to bring down the story or life to its own level. If anything, it is elevated: conversations of a real martyr of the Fourteenth Class can be worthwile. It is not that Puškin really wanted more of those bits of lowly reality. Every one of them had a specific function which adding up would take away. What the poet said in *Geroj* is not a consequence of Puškin's realism that he himself shrank back from. Puškin never showed, or unconsciously revealed in his later works any striving towards *nizkie istiny per se*. It is rather the other way round: Puškin makes his poet express a tendency towards *vozvyšajuščij obman* that was in his own character in a much less strong form, and the statement itself of the quoted lines might almost be considered a bit of lowly reality. It is not accidental that the problem arose so clearly in connection with the historical hero. It was in the writing of history that the problem of finding a place for lowly reality had to be solved both directly and artistically.

When we say that the breaking up of the romantic unity of the "I" and the world brought Puškin to realism, this implies that the romantic view was seen in its conditionedness, its *uslovnost'*. Puškin wanted something more truthful, as every writer does who can no longer accept a dominating current. But truth is not an artistic criterion, it is no device. At this point one wonders whether truth can perhaps be considered as the most encompassing of the groupers of material, as the final organiser of a work of art. This assumption implies a division of devices into linear ones, that carry the story forward, that run through it the thread, and on the other hand those that, from a point above the story, encompass a certain amount of material in one grip. To the latter belong those devices that refer us backward or forward, jumping over a certain stretch of the story, the introduction of sub-narrators, etc. Such devices could be listed hierarchically, with regard to the amount of material that they encompass. Truth could not be expressed then and there, with the given material (and in this case speaking of material is already an abstraction) in any other way. Truth was blind and dumb before the work was there, it may have stirred in us before, but we could do nothing about it. But we recognise it in the finished work and now all the elements partake of it, both the low and the high. The former strike us more forcibly because they were not there before. In *The Station Master* Puškin did not represent or approximate the poverty of the Russian stationmaster, or of the sons of small brewers in general, but *that* poverty was true of *these* people, Dunja did not connect Bednaja Liza with Anna Karenina, but *this* Dunja was true.

If this is so a new current is a new truth. Puškin came to it from